KB158269

신앙생활하며 글쓰고 책읽기

# 주안에서
# 누리는 행복

주안에서 누리는 행복

인　쇄 : 2021년 6월 10일 초판 1쇄
발　행 : 2021년 6월 25일 초판 1쇄
지은이 : 오태영
펴낸이 : 오태영
출판사 : 진달래
디자인 : 노혜지
신고 번호 : 제25100-2020-000085호
신고 일자 : 2020.10.29
주　소 : 서울시 구로구 부일로 985, 101호
전　화 : 02-2688-1561
팩　스 : 0504-200-1561
이메일 : 5morning@naver.com
인쇄소 : TECH D & P(마포구)

값 : 13,000원
ISBN : 979-11-91643-03-9

신앙생활하며 글쓰고 책읽기

# 주안에서
# 누리는 행복

오태영 지음

진달래 출판사

작가는 1966년 전남 장흥 출생으로
믿음의 배우자를 만나
교회에서 약혼하고, 결혼하고, 집사,
안수집사가 되어
여러 부서에서 일꾼으로 충성했습니다.
성경을 바탕으로 한 기독교 신앙생활로
영혼의 때를 위해 살려고 애쓰며
서울시청을 비롯하여 구청, 주민센터에서
30여 년의 공직 생활을 명예퇴직하고
제2의 인생을 시인, 작가, 번역가,
진달래 출판사와 진달래 하우스 대표로
4자녀와 즐겁고 기쁘게 살고 있습니다.

# 목 차

## 머리말

부족한 자를 써주신 하나님께 감사드리며
교회신문
"영혼의 때를 위하여"에 실린 글을
현재의 시점으로 수정하여 모았습니다.

**할렐루야! 주님께 영광 돌립니다.**
잘한 것은 주님이 힘주셔서 한 것이고
잘못한 것은 제 뜻대로 한 것이니
잘한 것은 주님께 영광을 올려 드리고
잘못한 것은 회개합니다.
늘 하나님 말씀을 전하며 육신의 때가 아닌
천국가는 신앙생활 할 것을 당부하는
**윤석전 담임목사님**을 사랑하고 존경하며
이 책이 교회에 덕이 되기를 바랍니다.
교회를 모르고 오해하는 사람들에게
**평범한 평신도의 신앙생활 이야기**를 통해서
교회와 성도들의 일상을 알리고
이 나라의 수많은 사람들이
예수를 알고 천국가기를 기다리며
함께 복음의 길을 달려가고 싶습니다.

2021.6 수정재(水晶齋)에서
오태영

# Part 1

## 1/4분기

# 새로운 봄이

## 오고 있어요

## 신앙 동료들이 그립습니다

코로나 사태로 우리 신앙생활의 많은 부분이 바뀌었습니다. 많은 성도가 가정에서 유튜브나 인터넷으로 온라인예배를 드리고 있고, 부서 모임은 오프라인 상으로는 전부 없어졌습니다. 교회학교도 어린이들의 소리가 뚝 끊기고 모두 가정에서 영상으로 예배를 드립니다. 성도끼리 만나면 살갑게 인사하던 것도 옛말, 이제는 SNS나 전화로 안부를 묻고 어쩌다 만나도 건강거리 2m를 두고 멀찍 서서 그저 눈인사나 나눕니다.

생각지도 못한 낯선 일들이 이제 일상이 되어가고 있습니다.

평범한 일상이 축복임을 이제 깨달았습니다. 그동안 얼마나 자유롭게 신앙생활 했는지 자유는 잃은 후에야 새삼 깨닫습니다. 가장 소중한 축복이 무엇인지 생각합니다. 주님이 주신 행복이 내 곁에 있었음을 알고 평범한 일상이 다시 찾아오기를 바랍니다.

마스크를 쓰지 않으면 어디도 다닐 수 없습니다. 마스크를 쓰다 보니 말수가 자연스레 줄어듭니다. 그동안 무책임한 말을 너무 많이 내뱉고 아무렇지도 않게 험담하며 살던 내게 침묵하라는 명령 같습니다.

앞으로 입과 혀를 지키며(잠21:23) 진실만을

전하고 싶습니다.

　마스크를 항상 쓰고 있어야 하니 마음껏 부르짖어 기도할 수도 없습니다. 이전에 원 없이 부르짖어 기도할 수 있을 때 그러지 못한 것이 후회됩니다.

　'2m 건강 거리두기'를 하다 보니 정답게 대화하거나 전도하지도 못합니다. 내가 만난 구원의 이름 예수를 전하지 못하니 마음이 답답합니다. 지옥 가는 수많은 영혼을 바라보며 오직 안타까운 마음뿐입니다.

　주일마다 남여전도회원끼리, 청년부원끼리, 교회복지부원끼리 함께 둘러앉아 식사하고, 구원받은 은혜 감사해서 간증하던 화기애애한 모임이 없어지니 마음이 적적합니다. 신앙 동료들이 그립습니다.

　제가 섬기는 교회복지부도 따뜻한 모임이 없어졌습니다. 장애인 지체들이 전도사님에게 하나님 말씀을 듣고 교사에게 하나님의 사랑을 느끼던 예배와 공과, 함께 찬양하고 기도하고 간식을 먹던 친교모임이 이젠 없습니다.

　지체들이 어눌한 발음으로 주님을 찬양하고 어색한 몸짓으로 주님께 몸 찬양하던 시간이 그립습니다. 손을 마주 잡거나 껴안고 인사하며 사랑을 표현하는 따뜻한 만남이 그립습니다. 생일잔치를 열고 축하하고 하모니카 연주를 들으며 행복해하던 그 시절로 돌아가고 싶습니다.

　그동안 잊고 살았던 신앙생활의 소중함을 온몸으로 느낍니다. 신앙생활의 기쁨을 다시 누리고 싶습니다. 우리 성도들이 마주하며 인사하고, 큰 소리로 기도하고 찬양하는 예배가 회복되기를 소망합니다.

　코로나19로 인해 잃어버렸던 신앙의 소중함을 다시금 깨닫고 예전과 같이 일상으로 돌아가면 하나님께 더욱 신령과 진정으로 예배드리리라 작정하는 우리 모두가 되고 이로 말미암아 하나님께 최상의 감사와 찬양을 올려 드리는 우리가 되길 기도합니다.

# 새해에는 자살'을 뒤집어서 '살자'

*스스로 목숨을 끊는 비겁한 행위는*
*인류 구원하신 하나님에 대한 배신*

우리나라 자살 문제는 심각하다. 2019년 한 해 우리나라 자살자 수는 1만3799명이었다. 하루 평균 자살 사망자가 37.8명이니 정말 많다. 전년(2018) 대비 129명(0.9%)이 증가한 것으로 나타났다.

자살은 10대, 20대, 30대에서 사망원인 1위이고, 40대, 50대에서 2위를 차지하고 있다(통계청, 2019년 사망원인통계 결과). 인구 10만 명당 자살 사망자는 60대 33.7명, 50대 33.3명, 40대 31.0명, 30대 26.9명, 10대 19.2명으로 10대 사망원인의 37.5%, 20대 사망원인의 51%, 30대 사망원인의 39%, 40대 사망원인의 21.7%, 50대 사망원인의 10.4%를 자살이 차지한다.

자살 원인은 현실 생계의 비관에 따른 자살, 명예를 소중하게 생각하는 연예인을 비롯한 유명인사의 자살, 청소년 자살 등으로 크게 나누어 볼 수 있다.

물질문명이 발전하여 겉보기에는 사람들의 살림이 나아지는 것 같지만, 물질만능주의 때문에 실질적 가난보다는 상대적인 가난이 개인적인 소외감을 가중하고, 빈부차이에서 오는 스트레스는 '물질=행복' 공식이 통용하는 사회에서 사람들의 희망을 빼앗아버리는 결과를 가져오기에, 시간이 지날수록 현실 생계의 비관에 따른 자살은 점점 늘어가는 실정이다.

자살에 대한 사회적인 대책은 별도로 하고, 기독교인도 이에 대한 분명한 인식을 지니고 있어야 한다. 우리 인간은 하나님이 창조하신 피조물 중 가장 소중한 존재로, 하나님의 형상을 따라 만들어져 모든 만물을 지배하고 다스리는 만물의 영장이다.

우리 조상 아담과 하와가 사단의 유혹에 넘어가 하나님을 떠나 죄와 사망에서 헤매는 것을 보시고, 하나님께서는 자신의 독생자 예수 그리스도를 이 땅에 보내셔서 우리 죄를 대속하여 십자가에 못 박혀 죽게 하심으로 우리가 예수 그리스도를 믿을 때 구원받게 하셨으니, 자기 아들의 목숨을 바쳐 살려낸 존재가 우리다. 그리고 믿는 자들의 권리로 우리를 하나님의 자녀 삼아 주셨다(요1:12).

우리는 이렇듯 하나님의 눈으로 볼 때 매우 소중한 존재다. 그럼에도 우리가 자신의 인생을 비관하여 목숨을 끊어버리는 것은 하나님에 대한 엄청난 배반행위다.

청소년 자살에 대해서는 부모는 물론 교회학교 교사들도 항상 그들과 대화하는 노력이 필요하다. 부모와 교회학교교사들이 함께 청소년기 아이들에게 더 많은 관심을 지니고 학교생활은 어떤지, 고민은 없는지, 건강은 어떤지 그리고 무슨 일 있을 때 부모나 교사에게 이야기하여 함께 의논하자고 자주 말해준다면, 어느 순간 정말 힘들 때 찾아와서 털어놓을 수 있다.

과정이 귀찮다고 생각되더라도 그 노력으로 죽어가는 영혼을 살릴 수 있다는 사실을 간과하지 말아야 한다. 그들을 위한 끊임없는 관심과 진실한 기도는 보이지 않게 우리 자녀를 지켜주는 힘이 될 것이다.

# 잠깐의 고난

*설 연휴에 영원한 천국 바라보며*
*핍박 오더라도 제사 참석 피해야*

기독교 초기 역사에서 바울의 활약은 대단했습니다. 공회원이며 최고의 지식을 자랑하는 가말리엘의 문하생이라는 대단한 신분을 버리고 고난의 삶을 살았습니다. 여러 차례 선교 여행을 떠나 무수히 핍박받으면서도 예수 복음을 전해서 교회를 세웠고, 로마서를 비롯한 신약성경의 많은 부분을 저술했습니다. 감옥에 갇혔을 때는 담대히 찬양하고 기도하자 옥문이 저절로 열렸습니다. 그때 죄수들이 도망한 줄 알고 자결하려 칼을 빼 든 간수 앞에 나타나서 유명한 말을 했습니다. "주 예수를 믿으라 그리하면 너와 네 집이 구원을 얻으리라"(행6:31). 그 간수를 중심으로 빌립보교회가 생겼습니다.

기독교는 고난의 종교입니다. 세상 임금 마귀는 예수님을 알고 믿고 말씀대로 살아 천국에 가려는 성도들을 가만두지 않습니다. 세상 명예, 돈, 권력 그리고 약점을 이용해 죄를 짓게 하고 세상을 좋아하게 하고, 그것을 반대하는 교회를 핍박의 도구로 사용합니다. 하지만 마귀 유혹을 알지 못해 따라가는 교회는 핍박하지 않습니다. 어차피 마귀의 손안에 있기 때문입니다.

우상숭배는 하나님이 가장 싫어하는 죄입니다(신5:7~10). 이방인의 제사는 귀신에게 하는 것이라고 성경은 확실하게 말하고 있습니다(고전10:20).

음력 정월 초하루 설날은 공휴일이라 많은 사람이 가족을 찾고 제사하고 새해 덕담을 나눕니다. 믿음의 형제들은 아무리 혈육이 그리워도 귀신에게 제사하는 자리에 함께 해서는 안 됩니다(고전10:20~22).

귀신에게 바칠 제물을 만들거나 먹어서도 안 됩니다(고전8:10~11). 하나님이 싫어하는 일을 해서는 안 됩니다(신5:9). 새해를 주신 하나님께 감사 예배를 드리고 하나님의 은혜를 간증하고 모든 가족의 건강을 위해 기도하는 날로 삼아야 합니다.

제사하는 가족이 있다면 창조주 하나님을 만나도록 복음을 전해야 합니다. 그래도 듣지 않으면 미리 인사하고 우상숭배 하는 자리를 피해야 합니다. 그 일로 가족에게 핍박받는 고난은 잠시뿐이지만 죄를 짓고 지옥에 간다면 영원한 고통을 어떻게 감당하겠습니까.

바울은 주를 위해 당한 고난이 '육체를 입고 있는 동안 잠깐 당하는 가벼운 고난'(고후4:17)이라고 말했습니다. 하지만 실로 바울이 당한 고난은 말로 표현할 수 없는 것이었습니다. 그래도 장차 우리에게 임할 지옥에 비하면 아무것도 아니니 현재 당하는 고난에 굴하지 말고 꼭 이기라고 권면합니다. 세상 모든 마귀 유혹을 이기고 영원한 하늘나라에서 하나님과 함께할 천국을 꿈꾸면서 신앙생활에 따르는 고난을 즐거워하라고 말합니다.

고난을 우리에게 잠시 오는 과정이라 생각하는 사람은 힘들어하지 않습니다. 고난의 대가를 확실히 믿기 때문입니다. 한평생 먹고사는 일에도 새벽같이 나가고 무수한 욕을 먹으면서도 참는데 영원한 천국 가는 길에 당하는 어려움은 능히 이겨야만 합니다. 그만큼 가치가 있기 때문입니다.

세상에서 예수님으로 인해 당하는 고난 때문에 더욱 즐거워하는 우리가 됩시다. 힘들 때는 도와주겠다고 약속하신 예수님께 기도합시다. 응답해 주신 하나님께 감사합시다. 고난을 이기도록 힘 주신주님께 감사를 올려 드립시다.

# 내가 떠난 자리에 예수 향기가 났으면…

*내가 기분 나쁜 일 있다고 험한 표정에*
*통명스럽게 말할 때 상대방은 마음에*
*평생 잊지 못할 깊은 상처 받을 수 있어*

*주님 대하듯 민원인 못 섬긴 내가 걱정*
*하나님 자녀로 칭찬받는 우리 모두가 되길*

설이 다가왔습니다. 음력으로 한 해 첫 달인 정월이 시작되는 날입니다. 농경사회에서는 해가 바뀌는 중요한 날이었지만, 요즘에는 가족을 만나는 연휴 정도의 의미만 있습니다. 그래도 정말 한 해가 가고 새로운 한 해가 시작됐다는 마음이 들면서 다시 한 번 자신의 뒤를 돌아보는 날이기도 합니다.

새해가 되면 직장에서 인사이동을 합니다. 정든 부서를 떠나 설레는 마음으로 새로운 근무지로 가고 새 업무를 익히느라 많이 어수선합니다.

제가 예전에 근무하던 주민센터에서의 일입니다. 인사이동으로 새 직원이 왔습니다. 무척 친절한 직원이어서 모두 칭찬을 합니다. 그가 직전에 근무하던 부서에서도 "일을 잘하는 직원"이라는 소문이 자자합니다. 며칠 근무하는 태도를 지켜보니 지역주민들에게 친절·자상하게 설명해 주고 어르신들을 예의 바르게 대합니다.

하루는 어르신 한 분이 주민센터에 찾아왔습니다. 예전 직원이 안 보인다고 말씀하기에 다른 곳으로 발령받아 갔다고 하자 그동안 가슴에 품어온 하소연을 털어놓는데 듣고 있던 제 마음이 아팠습니다. 그 직원에게 상담을 받다 마음의 상처를 입어 극단적인 행동을 할까 생각했다는 것입니다. 어르신은 상급부서로 찾아갈까 하다가 이 직원에게 해를 끼치려는 마음도 품게 됐다고 털어놓았습니다. 듣고 있던 직원들은 하나같이 깜짝 놀랐습니다. '평소 성심성의껏 민원인을 대해 주었는데 왜 그 어르신께는 상처를 줬을까?' 의아했습니다. 아마 그날 직원에게 무언가 안 좋은 일이 있어 의도치 않게 어르신께 함부로 대하지 않았을까 짐작됐습니다.

그 어르신은 속내를 털어놓은 후 "여러분만 알고 있어요"라고 입단속을 하더니 "말을 하고 나니 마음이 풀어진다"고 하면서 집으로 돌아가셨습니다.

내가 만난 수많은 사람에게 기분대로 함부로 대하면 안 되겠다고 다시 한 번 생각했습니다. 내가 기분 나쁜 일이 있다고 험한 표정과 퉁명스러운 말을 할 때 상대방은 마음에 평생 씻지 못할 깊은 상처를 받을 수도 있습니다.

그러다 내가 그 근무처를 떠난 뒤에 나를 돌아보면서 좋지 않은 말들이 오간다면 나 자신의 평가뿐만이 아니라 내가 속한 조직에도 엄청난 손해를 끼치게 됩니다.

얼마 전 교회에서 열렸던 직장·실업인 축복 세미나 때, 담임목사님께서 "직장에서도 주를 위해 하듯이 열심히 일해야 한다"(엡6:7)고 권면하셨습니다. 내가 만난 민원인을 주님 대하듯 섬겼다면, 얼마나 그분들이 좋아했을까요? 나를 위해 십자가에 살 찢고 피 흘려 구원해 주신 주님께 하듯 민원인을 그렇게 대하지 않았던 내 모습을 돌아보게 됩니다. 내가 이곳을 떠난 뒤에 내가 어떠했다고 말할지 새삼 걱정이 듭니다.

말세를 만난 이때, 신앙인들은 주를 위해 열심히 살아야 합니다. 믿음의 형제들을 사랑하고 죽어가는 이웃 영혼을 살리려고 전도하다가 사모하며 하늘나라에 가야 합니다.

내가 떠난 자리에서 예수 향기가 나야 하고, 주를 위해 산 흔적이 남기를 소망합니다. 예수님의 죽음 앞에 "이 사람은 참으로 하나님의 아들이었다"고 백부장이 증언하듯이(마15:39) 우리 삶의 여정을 마쳤을 때 우리를 통해 예수님이 증거 되고 하나님의 자녀로 칭찬받는 우리가 되기를 기도합니다.

# 내게 주신 달란트 유익을 위해

*마지막 때에 칭찬받는 사람이 되기를*

새해를 시작하는가 싶더니 벌써 입춘이 지났습니다. 잔설 사이에서 홍매화가 꽃을 피웁니다. 오케스트라마다 신년음악회를 마치고 신춘음악회 준비로 부산합니다. 비발디의 사계(四季) 1악장 '봄(春)'처럼 경쾌한 바이올린 선율이 대지 곳곳에서 들리는 듯합니다. 세월은 마치 스키를 타고 산에서 내려오듯 일순간에 지나칩니다.

마태복음 25장에 달란트 비유가 나옵니다. 주인이 타국에 갈 때 종들을 불러 각기 한 달란트, 두 달란트, 다섯 달란트를 맡겼습니다. 무엇을 하라고 지시하지 않았습니다. 두 달란트와 다섯 달란트 받은 종은 이익을 갑절로 남겼습니다. 하지만 한 달란트 받은 종은 그대로 묻어 두기만 했습니다. 주인이 돌아오자 유익을 남긴 종은 칭찬받았습니다. 한 달란트를 남긴 종은 책망을 들었습니다. 또 그 한 달란트마저 뺏기고 바깥 어두운 데로 쫓겨나서 이를 갈며 슬피 우는 신세가 되었습니다.

달란트를 무게 단위로 환산하면, 한 달란트는 금 33kg 정도입니다. 몇 년 전 금값 폭등 때 한 돈이 약 25만 원이나 했습니다. 이 가격을 적용해보면, 한 달란트는 대략 22억 원입니다. 요즘 금값이 떨어졌다고 해도 적어도 한 달란트는 15억 원은 족히 나갑니다.

우리는 누구나 인생이라는 달란트를 받고 태어납니다. 적어도 15억 원이 넘는 가치를 지녔다는 말입니다. 그것으로 어떤 유익을 남겨야 할까요?

먼저 태어난 때보다 더 나은 세상을 만드는 데 힘써야 하겠지요. 또 나를 세상에 보내신 하나님을 인정하고 부모님께 감사하며 달란트를 기반으로 유익을 남겨야 합니다. 그냥 허송세월해서는 안 됩니다. 헛되이 보내기에는 달란트가 너무도 값지니까요.

삶이라는 터널을 지나 보면 삶이 얼마나 소중한지 느낍니다. 달란트를 땅에 묻은 채 멋대로 살아온 인생을 돌아보면 후회뿐입니다. 자기 달란트를 찾아야 합니다. 자기 달란트를 알아야 합니다. 인생이라는 달란트를 주신 창조주를 기억해야 합니다. 전도서에 "너는 청년의 때 곧 곤고한 날이 이르기 전, 나는 아무 낙이 없다고 할 해가 가깝기 전에 너의 창조자를 기억하라"(전12:1)고 말씀했습니다.

삶이 빠르게 지나갈수록 깨어 근신해야 합니다. 창조주께서 내게 달란트를 주신 의미를 찾아야 합니다. 받은 달란트로 유익을 남겨야 창조주 하나님이 만족하는 삶을 완성합니다. 아무리 겉으로 화려해도 달란트를 묻어 두기만 했다면 책망을 피할 수 없습니다.

　우리 인생은 하나님으로 말미암아 창조되었기에 그만큼 존귀합니다. 그 달란트를 부지런히 갈고닦아 하나님께서 창조하신 기쁨을 누리게 해야 합니다. 그 사실을 몰라 헛된 길로 달려가는 수많은 이웃에게 하나님을 전하고 각자 받은 달란트 유익을 남기자고 권합시다.

　이 땅에서 달란트를 잘 활용합시다. 하나님께서 부르실 때 "잘 하였도다 착하고 충성된 종아 네가 작은 일에 충성하였으매 내가 많은 것으로 네게 맡기리니 네 주인의 즐거움에 참예할지어다"(마25:21) 하고 칭찬받는 우리가 되기를 간절히 소망합니다.

# 꽃 피는 춘삼월이라 하지만

*이만큼 교회 세운 믿음의 선배들처럼*
*전 성도가 견고한 신앙의 강단 있어야*

우리 교회는 1980년대, 연희동 작은 지하실 곰팡이 냄새나는 곳에 세워졌다. 누가 찾아올 법하지 않은 변두리였다. 하지만 성령께서 강하게 역사하셔서 매달 부흥회를 열면 성도들이 이곳저곳에서 모여들어 성전을 가득 메웠다.

은혜받고 구원받은 성도들이 열심히 전도했고, 망원동·노량진 성전을 거쳐 세계적 규모의 궁동 대성전을 설립 20년도 못 돼 하나님께 봉헌했다. 그 후 몇 년 사이에 E of E 교육센터, 노인복지센터, 월드비전센터, 비전교육센터를 신축했다. 성도들이 함께 모여 하나님 일에 구석구석 충성하고, 전도하고, 사랑을 나누면서 교회를 성장시켰다.

매년 수양관에서 동·하계성회를 개최했다. 특히 목회자세미나에는 해외와 전국 각지에서 수천 명이 참석했고, 구령의 열정 갖고 예수복음 전하겠다고 다짐하며 돌아갔으니 머지않아 큰 부흥의 소식이 들릴 것을 믿는다. 담임목사님은 동계성회를 마치면서 "잘한 것은 주님이 하셨으니 감사하고, 잘못한 부분은 겸손히 회개해 주님과 형통하라"고 당부했다. 칭찬만 듣다 교만해져 주님을 모른다 하지 않도록 항상 담임목사를 통해 회개하여 주님 앞에 돌이키게 하는 것이 교회 성도가 받는 참된 복일 터. 설교 시간마다 목사님이 "회개하라"고 당부한 내용을 놓치지 않으려고 신앙생활을 하나하나 점검해 본다.

"예배시간에 일찍 와서 기도하고 찬송하고 말씀 들을 준비를 했는가. 예수 몰라 죄 아래 살다 지옥 갈 이웃 영혼에게 복음을 전했는가. 교회에 무슨 일이 생길 때 내가 먼저 관심을 갖고 돌아보았는가. 충성할 일손이 필요하다고 호소할 때, 시간 없다고 모른 척한 적은 없는가. 직장 일이 급하다고 기도하길 등한시한 적이 없는가. 주일 성수는 물론 성령께서 감동하셔서 교회에서 정한 각종 예배에 빠짐없이 참석해 모이는 자리를 폐하지 않았는가."

과거와 달라진 내 신앙의 모습이 보인다. 많이 퇴색했다. 처음 은혜받았을 때는 교회에 오는 것이 그저 기쁘고 좋았다. 가진 것을 다 예물 드리고 주머니가 가벼워져도 주를 위해 살 수 있는 것만으로 기뻤다. 십자가 보혈의 공로를 의지해 죄 사함받게 하시고 천국 갈 하나님의 자녀로 살게 하시니 그렇게 행복할 수 없었다. 그런데 흐르는 세월 속에서 감사를 잊고, 충성의 열정도 식은 것이 사실이다.

교회 설립의 달을 맞을 때마다 자꾸만 부끄러워진다. 연희동·망원동 시절 성도들을 대할 때면 더욱 그렇다. 그들은 어렵던 그 시절에 자기 전 재산을 내놓고 교회를 넓히고 새로 지었다. 그들의 최고 소망은 주님의 신부로 들림받고, 영혼의 때에 반드시 영생하는 것이다. 세상 소망을 값없게 여기고 하늘 소망에 가슴 벅차 한다. 당시 30~40대였으니 지금은 60, 70대 노구지만 주의 일할 사람 손 들라고 하면 주저 없이 충성의 일선으로 달려간다. 또 하나님께 부르짖어 기도하자고 하면 한결같이 기도의 자리를 차지한다. '이제는 대충 해도 되지 않느냐'는 악한 미혹에 절대 넘어지지 않는 신앙의 강단(剛斷)이 늘 있다.

3월마다 세월로 낡아진 육신으로도 주님을 향해 묵묵히 신앙의 길을 걸어가는 초창기 성도들이 부럽다. 게으름과 나태와 교만을 걷어내고 건장한 청년의 패기로 다시 내 믿음을 다져야겠다.

# 그 동안 사용하신 주님께 감사를

## *교회에 부여한 사명 다함께 이루어가야*

개인에게 가장 기쁜 날이 언제일까요? 사람마다 다르겠지만, 생일을 빼놓고 자기 인생을 이야기하기는 어렵습니다. 나를 중심으로 돌아가는 세상에서 내가 없으면 부모도, 형제자매도, 친구도 없기 때문입니다. 내가 태어나지 않았다면 인생이나 세상이란 말도 의미가 없겠죠.

마태복음 26장을 보면, 예수를 은 삼십 세겔에 팔아넘기려는 궤계를 꾸미는 제자 가룟 유다에게 예수께서 하신 말씀이 기록되어 있습니다. "차라리 나지 아니 하였더면 제게 좋을 뻔 하였느니라"(24절). 예수께서 당한 고난은 우리 인간을 구원할 순서를 밟으신 것이지만, 가룟 유다는 주님을 팔 악역 담당자로 태어났습니다. 누군가는 담당해야 할 역할이지만, 실로 비참한 인생이 된 것입니다.

바울은 지극히 좋은 여건에서 태어났습니다. 나면서부터 로마인으로 교육 도시 다소에서 자랐으며, 성장해서는 당대 최고 학자인 가말리엘의 일곱 제자 중 수제자였습니다. 공회원(요즘 국회의원)이었으며, 베냐민 지파 출신에, 율법으로 흠이 없는 바리새인이었습니다.

예수를 죽이는 일에 찬성표를 던진 바울은 예수 믿는 자를 잡으려고 다메섹으로 가던 길에 예수의 음성을 듣고 회심해 예수를 증거하는 일에 전념합니다. 바울은 성령께 붙들려 신약성경 반 이상을 기록하였고, 수많은 초대교회를 세웠으며, 무수한 고난을 당하면서도 전도 여행을 수차례 하였습니다. 주님을 만나지 못했더라면, 지금쯤 지옥에서 자신이 태어난 날을 저주하고 있겠지만, 다메섹에서 회심하였기에 주님이 기억할 만한 값진 인생을 살다 천국에 입성했습니다.

　　우리 교회는 이제 설립한 생일을 맞이했습니다. 연희동 성전 시절, 사람이 오기 어려울 정도로 곰팡내 물씬 풍긴 지하실 교회였지만, 주님이 주신 지상 명령인 영혼 구원에 애쓴 결과 망원동과 노량진을 거쳐 이곳 구로구 궁동에 자리했습니다. 대지 1만 6000여 평에, 성전 규모로만 봤을 때는 전 세계에서 손꼽히며, 부속 건물 6개까지 갖춰 세계 영혼 구원의 전 초기지가 되었습니다.

　　우리교회는 한결같이 주님이 사용하셔서, 피로 값 주고 사신 교회에 감독자로 세운 윤석전 담임목사를 중심으로 전 성도가 하나 되었습니다. 죽어가는 수많은 이에게 천국이라는 기쁜 소식을 전하니 자연스럽게 교회가 커졌습니다. 지옥에서 당할 고통을 알기에 그들을 살리려는 애타는 심정으로 복음을 전했습니다. 함께 천국 가자고 간절하게 주님의 사랑을 쏟아냈습니다.

교회는 주님이 영혼을 살리려고 세웠기에 중요합니다. 또 수많은 전도자에게 복음을 듣고 내가 구원받았기에 교회가 설립된 생일 역시 의미가 큽니다.

특히 우리 교회는 담임목사께서 주님이 주신 사역을 감당하려고 세상 부귀 명예를 버리고 자기 생애를 목회에 쏟아부어 성도를 천국으로 인도하는 일에 힘써 왔습니다.

육신의 소욕을 사람의 힘으로 이길 수 없기에 성도에게 늘 기도하기를 권면하였고, 주님을 알지 못해 지옥에 가는 수많은 이를 살려 천국에 함께 가기를 간절히 소망하여 전도하라고 힘주어 설교하였으며, 자신이 먼저 전도를 실천했습니다. 여기에 우리 성도가 하늘에서 받을 면류관을 바라보고 한마음으로 충성하여 교회가 부흥·성장했습니다. 그렇게 오랜 세월을 주님께서 함께하셨고, 우리 목사님을 말씀 전할 도구로 사용하셨고, 우리 성도를 충성할 도구로 사용하셨습니다. 우리 교회를 주신 하나님께 모든 영광을 올려드립니다.

## 부활의 주님으로 더 행복한 봄날

3월은 우리 교회에 매우 특별한 시기입니다. 영혼 구원의 열정으로 우리 교회가 세워진 달이기 때문입니다. 추운 겨울을 뒤로하고 영적으로는 암울했던 죄의 사슬에서 벗어나는 즐거운 기억이 살아납니다. 연희동, 망원동, 노량진을 거쳐 궁동성전에 이르기까지 끊임없이 부흥성장을 이끌어 주신 우리 하나님께 깊이 감사합니다.

우리교회는 매해 3월 각종 문화행사를 개최해 지역주민을 초청하고 영혼 구원에 박차를 가합니다. 교회 설립 기념일을 맞이해 전 교인이 지금껏 인도해 주신 하나님께 최고의 감사를 드렸습니다.

30년을 한결같이 사용해 주신 역사의 현장을 담아 『하나님이 쓰신 사람들과 그 날들』이라는 30년사 책(1500페이지, 전 3권)을 제작하여 선보였습니다. 3년에 걸쳐 우리 성도들이 직접 자료를 찾아 글을 쓰고 디자인하며 무수한 밤을 새워 이뤄 낸 성과를 보면서 우리 교회 모든 사역에 징말 하나님이 쓰시는 사람들이 있음을 깨달았습니다.

전 생애를 투자해 영혼 구원에 전력 질주한 윤석전 담임목사를 본받아 수많은 성도가 교회 건물을 지을 때마다 전 재산을 주님께 드리며 충성했습니다. 그들을 주님 일에 매진할 수 있게 늘 성령으로 감화·감동해 주신 하나님으로 말미암아 우리 교회는 매년 부흥의 이적을 일으키고 있습니다.

수양관을 비롯해 노량진 지성전, 범박동 지성전, 동탄 지성전이 세워졌고, 궁동대성전을 중심으로 목양센터, 노인복지센터, 월드비전센터, E of E 교육센터, 비전교육센터, 리터닝 같은 건물을 필요에 따라 세웠습니다. 주님께서 모든 수고의 땀방울을 기억하십니다.

우리를 지옥으로 끌고 가는 죄의 문제를 해결하시고자 주님은 이 땅에 육신을 입고 오셨습니다. 피 흘림 없이는 죄 사함이 없기에, 우리 죄를 담당하시려고 죄 없는 하나님의 아들이 차마 형용할 수 없는 고난을 당하시고 십자가에 매달려 피 흘려 죽으셨습니다. 그러나 죄 없는 예수 그리스도는 사망 권세를 이기시고 사흘 만에 부활하셨습니다. 그리고 우리의 영원한 구세주가 되셨습니다.

이 사실을 몰라 지옥 가는 수많은 영혼에게 주님의 사랑을 전하는 것이 우리 교회의 영원한 사명입니다. "예루살렘과 온 유대와 사마리아 땅끝까지 이르러 내 증인 되라"고 명령하신 예수님의 말씀 따라 불신자가 있는 한 영원한 개척교회라는 정신으로 지금까지 우리 교회는 달려왔습니다. 그동안 많은 어려움도,

시련도, 고난도, 아픔도 있었습니다. 악한 마귀의 방해도 계속되었지만 음부의 권세가 교회를 이기지 못하듯이 우리 교회는 주님으로 말미암아 승리했습니다.

겨울을 이겨 내고 꽃을 피우는 봄을 맞이해 부활의 주님을 생각합니다. 수많은 세월을 하루같이 인도해 주신 주님 덕분에 이뤄진 엄청난 교회 부흥을 보면서 부활의 주님을 생각합니다. 주님이 살아 계시기에 할 수 있었습니다. 우리의 기도를 들으시는 주님, 우리 기도에 응답해 주시는 주님이 계시기에 이룰 수 있었습니다.

약할수록 더욱 주님만 의지하는 담임목사를 비롯한 우리 성도들로 말미암아 우리 교회에는 앞으로도 더욱 즐거운 소식만 가득할 것입니다. 이 토대 위에 새로이 써나갈 새 역사가 기대됩니다. 화창한 봄날, 부활의 주님 덕분에 더욱 행복합니다.

## 구원받을 사람으로 가득 채우자

*새 회계연도에도 우리 교회 모든 초청행사*
*우리만의 잔치로 끝난다면 하나님의 슬픔*
*준비하는 성도도 즐겁고 구원받은 이도 기쁜*
*그런 날이 우리 교회에 계속되기를 소망*

　다문화가정과 함께하는 벼룩시장이 열린다고 해서 가 봤습니다. 다문화가정이 많이 참여하고 이웃 사람들도 와서 공동체 의식을 다지는 즐거운 시간이 되리라 기대했습니다. 하지만 막상 가 보니 썰렁한 분위기에 주최 측 사람들만 자리를 지키고 있었습니다.

　다문화가정은 전혀 보이지 않고 행사진행요원 조끼를 입은 사람만 북적이며 자기들만의 교제를 하고 있었습니다. 떡볶이, 부침개, 사진 촬영 코너, 한복 체험 등 나름대로 준비를 한 모양이었습니다. 하지만 평일에 진행한 탓에 사람들이 없는지, 홍보가 잘 안 돼 알려지지 않은 건지 행사 장소가 휑해 안타까웠습니다. 돈도 많이 들었을 테고, 준비 요원들도 귀한 시간을 내서 참여했을 텐데 자기들만의 잔치를 벌인 셈이니 낭비라는 생각을 떨칠 수 없었습니다.

　또 동네 소식지에 '활력영화제'가 열린다고 해서 아이와 함께 찾아가 보았습니다. 아이와 같이 보고 싶었던 영화였습니다. 해당 건물까지 갔는데 승강기에도, 게시판에도 안내문이 없었습니다. 착오가 생겼나 싶어 주최 측에 연락했지만 담당자가 아니라서 모른다는 답변뿐이었습니다. 주최 측 사무실로 갔더니 한참 만에 돌아온 대답은 방금 갔던 건물 3층에서 한다는 것이었습니다.

그 건물로 다시 가서 3층까지 올라갔습니다. 영화를 상영하긴 하는데 직원과 보조요원 둘만 있고 관람객은 없었습니다. 다 보고 나왔지만, '이렇게 사람이 오지 않는 행사를 꼭 해야 할까' 싶었습니다.

홍보를 잘해서 더 많은 사람이 참가했다면 얼마나 좋았을까. 건물 여기저기에 포스터를 붙이고 주민들에게 홍보 문자도 보내서 행사 이름처럼 '활력 넘치는 시간'을 만들었다면 준비하는 사람도, 영화를 보는 사람도 즐거웠을 것입니다.

우리 교회는 일거리가 많고, 충성할 기회가 넘칩니다. 봄·가을에 한마음잔치, 이웃초청 예수사랑 큰잔치는 물론 일 년에 8차례 넘게 여는 각종 성회에 사람이 가득 차도록 행사와 성회 소식을 전해야 합니다. 이웃 영혼 구원하기 위해 준비한 잔치에 주인공인 이웃 주민이 오지 않는다면 그들은 구원받을 기회를 놓칩니다. 또 예수 핏값으로 구원받은 우리가 전도

사명을 다하지 못하는 엄청난 잘못을 저지르는 것입니다. 한 달란트 받은 자가 받은 "악하고 게으른 자"라는 질책을 피하려면, 교회가 준비한 모든 초청행사를 구원받을 사람으로 가득 채워야 합니다.

새 회계연도에도 지혜를 다하고 열심을 다해 교회를 채워야 합니다. 모든 초청행사를 주관하시는 우리 하나님을 기쁘시게 해야 합니다. 한 영혼이라도 살리시려는 예수님의 십자가 사랑을 받았다면, 주님이 기뻐하시도록 수많은 영혼을 살리는 데 앞장서야 합니다. 우리만의 잔치로 끝난다면 하나님의 슬픔이요, 예수의 십자가 피 공로의 엄청난 낭비요, 씻을 수 없는 죄악입니다. 준비하는 성도들이 즐겁고 구원받은 사람들이 기뻐하는, 그런 날이 우리 교회에서 계속되기를 소망합니다.

# 정직하게 살자, 천국을 소망하기에

*괜한 욕심에 죄가 틈타지 못하도록*
*세심한 양심의 소리에 귀 기울여야*

  지금도 거리 곳곳에 하얀 눈이 쌓여 있지만, 계절은 변함없이 봄을 향해 달려갑니다. 개구리가 깨어난다는 경칩도 지났으니 이제 한 해의 여로(旅路)에 우리는 본격적으로 서 있습니다. 새해 계획이 작심삼일이 되지 않도록 다시 한번 마음을 추스릅니다.

  나이가 들수록 내 욕심은 줄이고 정직하게 살면서 천국 소망을 안고 살고 싶습니다. 예수께서 우리 인간의 모든 죄와 고통을 담당하시려고 대신 십자가에 죽으심으로 우리에게 천국이라는 귀한 선물을 주셨습니다.

  하지만 우리는 예수 보혈의 가치를 너무 쉽게 잊어버립니다. 하나님의 아들이 죽기까지 순종함으로 이루어 주신 진실한 그 사랑을 너무나 가볍게 여깁니다. 우리 인간이 하나님 말씀에 불순종해 지옥 갈 수밖에 없는 처지인 것을 아시고, 예수께서 그 해결책으로 우리의 죄를 대신 죄를 짊어지고 죽으심으로 우리의 죗값을 갚는 공의로운 행위를 하셨는데도 우리 삶은 너무나 거짓이 많습니다.

  예수를 믿노라고 하면서도 세상 사람보다 정

직하지 못할 때가 있습니다. 삶 가운데 거짓이 많고, 속임도 많고, 약속도 지키지 않으며 천국과는 상관없이 살아갈 때가 많습니다. 하나님 말씀을 지키며 살아야 천국 백성인데 그러지 못하면서도 천국에 갈 수 있는 듯 여깁니다. 천국에 가기가 그렇게 쉽지는 않을 텐데 말입니다.

하나님 말씀대로 못 사는 자신을 불쌍히 보면서 애통해하고 기도하며 말씀을 지키려 애써야 하는데, 그러지도 않습니다. 강단에서 목사님께서는 늘 하나님 말씀대로 살아야 한다고 목이 터지도록 애타는 심정으로 전하는 말씀을 지키지 못하는 우리 모습을 보면 마음이 아픕니다. 성도 대부분이 우상숭배를 제일 큰 죄로 여깁니다. 그래서 하나님께만 경배하려고 세상 명절에 핍박을 이기고 우상숭배 하는 자리에 가지 않을 정도로 신앙생활을 합니다.

하지만 탐심을 우상숭배(골3:5)라 하는 말씀은 믿지 않나 봅니다.

욕심이 잉태한즉 죄를 낳고, 죄가 장성한즉 사망을 낳느니라(약1:15)고 성경은 말씀하는데, 왜 욕심을 버리지 못하고 죄의 길에 빠지는지 모르겠습니다.

특히 교회에서도 물건을 나누어 줄 때마다 느끼는 것이 왜 그렇게 욕심을 부리는지 안타깝습니다. 분명 "손든 사람만 가져가세요" 했는데도 매번 다른 사람이 가져가서 손든 사람이 못 받는 경우가 생깁니다. "하나만 가져가세요" 하면, 하나만 가져가야 하는데도 왜 두세 개씩 가져가는지 물어보고 싶습니다.

말하지 않고 가져가면 그것은 도둑질이라고 하는 세미한 양심의 기준이 없는지, 하나님께서 보고 계신다는 신앙관이 없는지 다시 생각해 봅니다.

악한 마귀는 큰 것을 가지고만 우리를 유혹하지 않습니다. 작은 욕심을 부리게 하여, 하나님과 나 사이에 틈을 만들기에 성경은 "마귀로 틈타지 못하게 하라"(엡4:27) 하고 강력하게 말하고 있습니다. 우리 모두 천국을 소망한다면, 사소한 틈도, 헛된 욕심도, 조그마한 죄도 만들지 않도록 정직하고 진실하게 삽시다. 세상의 빛과 소금 역할을 감당하는 그리스도인의 삶을 살아갑시다.

## 모두가 누리는 봄을 위하여

매화, 벚꽃, 진달래, 개나리, 목련이 지천으로 피었습니다. 전국에서 봄꽃 잔치가 열립니다. 봄은 새로운 희망을 싹틔우기에 마음이 설레고 용수철처럼 톡톡 튀는 즐거움이 있습니다.

이렇게 좋은 날에 문득 마태복음 20장 포도밭의 비유가 생각납니다. 새봄이 와서 포도밭을 가꾸려면 일꾼이 있어야 합니다. 포도밭 주인은 아침 일찍 장터에 나가 일꾼들에게 하루 품삯을 주기로 약속하고 일을 시켰습니다.

점심 때가 되었지만 장터에는 여전히 일거리를 찾지 못한 사람들이 있습니다. 그들에게도 일을 맡겼습니다. 해가 저물녘에도 장터에는 일거리를 찾는 일꾼이 있어 그들에게도 포도밭 일을 하게 했습니다. 날이 저물어 품삯을 줄 때, 주인은 아침에 왔건 저물녘에 왔건 모두 하루 일당인 한 데나리온씩을 주었습니다. 일찍 온 사람은 더 받을 줄 알았다가 나중에 온 사람과 똑같이 받자 불평합니다.

저도 처음에는 포도원 주인의 처사가 이해되지 않았습니다. 하지만 제가 해가 저물도록 일자리를 구하지 못해 가족을 부양할 수 없는 처지에 놓였다고 생각하니, 주인의 처사에 절로 감사가 나왔습니다. 누구에게나 하루 먹을 양식은 있어야 합니다.

주인은 일꾼들에게 하루 일한 품삯을 주기로 약속했기에 일찍 온 사람이나 늦게 온 사람이나 똑같은 품삯으로 약속을 지킨 것입니다. 일찍 온 사람이라고 할지라도 '내게 일거리를 주셔서 감사하다. 늦게 온 이들도 나처럼 하루 먹을 양식이 생겨서 좋다'고 생각했다면 불평하지 않았을 것입니다.

봄이 왔지만 일거리가 없는 이에게는 아직 추위가 느껴질 터입니다. 꽃을 보아도 기쁨이 없습니다. 가족을 보기도 겸연쩍습니다. 그들과 봄을 함께 나누려면 우리가 가진 소유를 나눌 마음의 여유가 있어야 합니다. 우리나라처럼 저성장 기조에 접어든 경제구조에서 일거리가 없는 이들이 생기는 이유는 실력이 부족해서가 아니라 컴퓨터나 자동화된 기술로 인력시장이 작아진 탓이 큽니다.

포도밭에 나온 일꾼들도 여러 군데서 일거리를 찾다가 시간만 보낸 사람들일 가능성이 큽니다. 저녁이 다 되도록 일거리를 찾지 못한 사람의 마음이 얼마나 다급할지 짐작이 갑니다. 제가 그런 처지에 놓였다고 생각해 보니 늦게나마 일거리를 찾았을 때 생기는 기쁨이 얼마나 클지 전해집니다.

천국도 이와 마찬가지입니다. 모태신앙으로 어려서부터 신앙생활 한 사람도 있고, 젊어서,

나이 들어서, 여러 환경에서 각기 다양하게 신앙의 길을 걷는 사람들이 있습니다. 일찍 온 이든 나중에 온 이든 천국으로 가는 길은 같습니다.

이때에도 부족한 내 모습으로는 천국에 갈 수 없는데 주님이 나를 사랑해 십자가에서 흘리신 피 앞에 죄 사함받아 하나님의 자녀로 삼아주신 것에 감사가 절로 나옵니다. 늦은 오후 시간일지라도 나를 버리지 않고 불러서 내게 하루 먹을 양식을 준 주인에게 감사합니다. 내 힘으로는 일거리를 얻을 수 없는데, 다른 사람들은 나를 뽑아 주지 않았는데, 내 모습으로는 주님 앞에 나아갈 수 없는데, 내 사정 아시고 아들 예수 그리스도를 보내셔서 내 죄를 담당하고 죽게 하셔서 구원해 주신 주님 앞에 감사뿐입니다.

우리 앞에 백화 만발한 봄이 왔듯이 우리에게 모두 천국이라는 기쁜 소식이 왔습니다. 우리 모두 함께 내 영혼의 봄을 마음껏 즐길 수 있게, 함께 천국 가도록 주님 앞으로 나아갑시다. 봄꽃 같은 천국이 우리에게 지금 오고 있습니다.

# 봄에 맞이하는 부활의 기쁨

*혹독한 추위는 세월 지나면 풀려,*
*봄을 기다리듯 천국을 소망하자*

매서운 겨울 추위가 지나고 꽃샘추위가 봄소식을 기다리는 사람들을 애태우더니 이제 정말 만물이 소생하는 완연한 봄이다.

광양시 매화소식에 이어 구례군에는 산수유가 활짝 피었다고 상춘객을 유혹한다.

벚꽃 마을에서는 개화 시기에 맞춰 다채로운 축제를 준비한다. 주위에는 히아신스 향기가 코를 찌르고 먼 산에 진달래꽃도 수줍은 자태를 선보인다. 이 모든 것이 겨울이라는 혹독한 추위를 견디고 소생(蘇生)한 것이기에 더 큰 감동으로 다가온다.

우리의 인생도 순탄하게 성공한 사람보다는 수많은 우여곡절을 거치고 자수성가한 이들에게 더 큰 박수를 보내는 것이 인지상정일 것이다.

2012년 2월에 돌아가신 강영우 박사(전 미국 백악관 차관보)는 중학교 때 축구공에 맞아 실명했고, 그 충격으로 어머니와 누나가 죽게 됐다. 그 후에도 시련과 고통의 나날이 계속됐지만, 부활의 신앙을 바탕으로 좌절을 딛고 일어나 결국 전 세계에 간증할 만한 성공적인 인생을 살았다.

총선에서는 그동안 지역과 국가를 발전하게 하려고 힘써왔지만, 국회의원에 당선되지 못한 많은 이가 재기의 결의를 다질 것이다. 낙선을 딛고 당선이라는 부활을 꿈꾸지만, 쉽지 않은 여정일 것이다.

겨울이라는 어둡고 긴 터널을 지나야 활짝 핀 봄을 맞이하듯이, 경제적인 어려움과 인간관계의 거친 파고를 견뎌내야만 경제민주주의 속에서 자유롭게 살 수 있다.

기독교는 부활 신앙을 지녔다. 예수께서 우리 인간의 죄를 짊어지고 십자가에 피 흘려 죽으신 후 부활하심으로 우리에게 천국 소망을 주셨다.

사도 바울은 고린도전서 15장에서 '부활이 없다면 우리가 전파하는 것도 헛것이요, 우리의 믿음도 헛것이며, 우리가 바라는 것이 다만 이생뿐이면 모든 사람 가운데 우리가 더욱 불쌍한 자'라고 말한다. 그만큼 부활이 기독교의 핵심임을 강조한 것이다.

부활은 죽어야만 맞이하는 사건이다.

가장 소중한 목숨을 버려야만 부활의 영광을 맞이할 수 있다. 목숨을 버린다고 해서 자살을 뜻하는 것이 아니다. 하나님이 주신 귀한 목숨을 주를 위해 마음껏 충성하다가 맞이하는 죽음이야말로 정말 귀한 가치가 있는 죽음이다.

예수께서 십자가에서 피 흘리지 않고는 우리의 죄를 해결할 수 없기에, 우리 모두의 생명을 살리시려고 자기 목숨을 버리신 그 고난을 생각할 때, 부활을 맞는 우리의 자세가 마냥 기쁠 수만은 없다.

　　우리는 예수 그리스도께서 우리에게 영생이라는 기쁨을 주시려고 당하신 그 수많은 아픔을 알고 감사하며, 그 소식을 몰라 지옥 가는 사람들에게 복음을 전하는 귀중한 사역을 담당해야 한다.

　　만물이 차가운 겨울을 이겨내고 봄 향기를 발하는 요즘, 부활하신 주님으로 말미암아 더 큰 감사가 우리에게 넘쳐나길 소망한다.

Part 2

2/4분기

# 뜨거운 여름이

오고 있어요

## 삶의 전쟁터는 어디인가

　며칠 전 저녁에 아내와 함께 영화 '워룸(War Room)'을 봤습니다. '워룸'은 '전쟁하는 방'이라는 뜻입니다. 영화 속에서는 주인공이 기도하는 골방을 가리키는데, 마귀와 대적하는 전쟁터를 의미합니다.

　부동산 중개인인 엘리자베스는 집을 팔려는 클라라 부인을 만납니다. 부인은 50년 동안 산 집을 내놓으며 거실과 식당 그리고 자신이 가장 좋아하는 공간이라는 기도 골방 '워룸'을 보여줍니다. 사람 한 명이 겨우 누울 만한 골방 벽에는 수많은 기도 제목이 종이에 적혀 붙어 있습니다. 굵직한 문제에서 일상의 소소한 어려움에 이르기까지. 클라라 부인은 남편을 전쟁터에서 갑자기 잃은 후 기도하면서 삶이 바뀌었고, 기도의 능력을 알게 된 후 '워룸'을 만든 것입니다.

　클라라 부인은 남편과 잦은 다툼으로 힘들어하는 엘리자베스에게 기도 응답받은 자기 경험을 전하면서 '기도하는 방'을 만들라고 당부합니다.

　자신이 나서서 남편을 고치려고 하지 말고 하나님께 기도하고, 남편을 조종하는 사단과 싸우라고, 전쟁을 선포하라고 조언합니다.

　엘리자베스는 조언을 듣고 옷으로 가득한 골

방을 정리합니다. 처음 기도할 때는 입술을 떼는 것조차 어려웠지만, 이내 기도문을 벽에 부착하고는 기도 제목 하나하나를 주님께 올려 드립니다.

'그동안 주님께 기도하지 못한 것을 용서해 주세요.' '남편을 사랑할 마음을 주세요.' '그가 무언가 잘못을 저지르고 있다면 막아 주시고 그가 깨닫게 도와주세요.'

하나님 말씀도 벽에 붙인 후 묵상하고 기도로 마귀를 대적합니다.

"그런즉 너희는 하나님께 순복할찌어다 마귀를 대적하라 그리하면 너희를 피하리라"(약 4:7).

주인공이 기도하면서 처한 문제들을 하나님께 내어놓자 그의 삶과 가정이 점점 변합니다. 남편을 향한 분노는 어느새 다 사라졌습니다. 남편을 대하는 태도가 온유해지자 오히려 남편이 당황합니다. 남편은 엘리자베스가 기도하는 방을 우연히 발견합니다.

'남편의 마음이 다시 주님을 향하게 해 주세요.' '제가 남편을 돕고 존경하게 하시고 그를 사랑하게 도와주세요.'

남편은 그 안에 있는 기도문을 본 후 회개하고 아내와 함께 기도합니다.

영화는 클라라 부인과 엘리자베스의 대화를 통해 연신 '기도의 능력'을 말합니다. 승리하기를 원한다면 하나님께 굴복하고 하나님께 맡기라고 말합니다. 또 눈에 보이는 문제가 '문제'가 아니라 마귀라는 '진짜 적'에 초점을 맞추라고 합니다.

영화를 본 후 본질적인 문제를 찾아 그것을 해결할 방법이 기도임을 새삼 깨달았습니다. 삶이 힘들고 어려울 때는 나를 괴롭히는 마귀를 바로 보고 인정하고 그와 영적 전쟁을 선포하고 기도해야 합니다. 기도를 통해 지난날 잘못을 회개하고 상대의 잘못을 용서하고 하나님의 은혜를 구하면 하나님이 기뻐하는 삶이 되리라고 생각합니다.

진짜 중요한 전쟁터는 기도의 자리입니다.

내가 기도에 승리하면 악한 영과 귀신이 쫓겨나고 삶이 변화됩니다. 우리 교회는 그런 면에서 볼 때 매일 밤 전쟁터에서 승리할 '전성도 기도회'를 열고 기도하게 해 영적 승리를 안겨 줍니다. 우리 모두 영적인 전쟁에서 승리하기를 소망합니다.

기도만이 우리의 영적인 무기입니다.

## 영적 전쟁터와 같은 예배

  교회복지부는 지체장애인을 섬기는 부서다.
  처음 교회복지부 부장을 맡아 소망실, 사랑실 학생들이 예배드리는 현장을 보았다.
  소리 지르거나, 혼자 돌아다니거나, 마냥 서 있기만 하는 아이들로 분위기가 산만하고 어지러웠다. 교사들이 수시로 옆에서 자세를 잡아 주고 자리에 앉히고 조용히 시켜도 잠시 그때뿐이었다.
  찬양을 하는데도 많은 아이가 어수선하다.
  통성기도 시간에는 교사들이 손을 잡아 주고 기도하자고 진실하게 권면한다. 집중하지 못하는 학생들을 붙잡고 간절히 귀에 대고 기도해 준다. 학생들이 제 맘대로 돌아다니고 밖으로 나가니 잠시도 눈을 뗄 수 없다. 하지만 자기에게 주는 사랑을 모르지는 않는다. 오히려 관심을 끄는 행동조차 서슴지 않는다.
  말씀 시간에는 학생들 수준에 맞는 적절한 예화를 들어 하나님 사랑을 전하고 예수께서 피 흘리신 십자가 은혜를 강조하며 천국에 함께 가자고 애절하게 말씀을 선포한다. 떠들던 학생들도 하나님 말씀에는 집중하는 모습을 보인다. 차분하게 교사들과 같이 앉아 있다.
  자못 진지하다.
  주기도송을 할 때는 예배가 끝났다고 여겨서

인지 또 소란을 피운다. 교사들이 바빠진다. 이렇게 분주한 현장이 교회복지부 예배시간마다 펼쳐진다.

하나님이 받으실 만한 예배를 드려야 하나 마귀는 한시도 쉬지 않고 예배를 방해한다. 마귀역사를 이길 힘은 교사가 기도하여 성령 충만하는 수밖에 없다. 영적 전쟁터에서 승리하고자 주님 심정으로 기도하고 주님이 십자가에 달리신 사랑에 감사하며 성령 충만한 신앙생활을 해야 한다고 느낀다. 내 힘으로 감당하지 못한다고 늘 고백하며 하나님께 도우심을 구한다.

교회복지부 교사들은 지체장애인 학생들이 예배드리는 기쁨을 맛볼 수 있게 노력한다. 예배 환경을 깨끗하게 마련하고 예배 질서도 바로잡으며 기도로 영적 무장을 갖춰 악한 역사를 이기고자 한다. 예배 찬양을 두고 하루 전에 모여 기도하고 충분한 연습으로 모두가 하나 되는 찬양을 인도하려고 준비한다. 예배를 체계적으로 운영하고자 모든 교사가 맡은 바 역할을 잘 감당하고 계획서를 작성하며 기도로 준비한다.

학생들의 영혼을 살리려면 먼저 교사들의 영혼이 살아야 한다. 예배 때마다 말씀으로 은혜 받아야 하고, 기도시간에는 더 간절히 기도하고, 주중에는 맡은 학생들을 심방하고 전화하고 잘 섬겨야 한다. 다른 잡무로 부담이 더해지지 않도록 배려가 필요하다.

교회복지부 교사들은 기본적으로 복지부에 지원할 만큼 아름다운 마음을 지녔기에 학생들을 사랑할 마음을 이미 주님이 주셨다. 자신도 부족하지만 어렵고 힘든 장애를 지닌 학생들을 보면서 나보다 더 힘든 그들을 사랑한다.

학생의 영혼이 천국 갈 수 있게 열심히 섬기는 모습을 보면 마음이 뜨거워진다. 좀 더 편한 곳에서 충성할 수 있었을 텐데도 낮고 천한 자리에서 주님 사랑을 전하는 교사들의 섬김이 천국에서 해같이 빛나기를 소망한다.

올 한 해 부장으로서 교사들이 영혼 섬기는 일에 방해되는 여러 조건을 해결하기 위해 노력할 것이다. 부족한 자를 부르신 주님 음성에 "아멘"으로 순종하여 열매 맺는 한 해가 되길 희망한다. 주님께서 힘 주셔서 모든 것이 합력하여 선을 이루리라 믿는다.

# 즐거움이 가득한 작정 기도회

우리 교회는 부활절에서 성령강림절에 이르기까지 전 성도가 작정 기도회를 합니다. '전 성도 40일 그리고 10일 작정 기도회'란 이름으로 전지전능하신 하나님께 우리의 모든 사정을 예수 이름으로 간구하면, 하나님께서는 자기의 영광을 위해 기꺼이 응답하십니다.

평소에도 전 성도가 기도생활에 마음을 쏟지만, 특별히 이 기간에는 유아유치부에서 장년부에 이르기까지 성도 수많은 성도가 '정한 장소' '정한 시간' '지정한 좌석'에서 부르짖어 기도합니다. 그만큼 하나님께서 기뻐 받으시고 응답이 넘치는 행복한 시간입니다.

기독교는 부활의 신앙입니다. 다른 이방종교의 교주는 모두 죽었지만 우리가 믿는 예수 그리스도는 지금도 살아 계시기에 우리의 믿음이 되십니다. 그는 인류의 죄를 대신 짊어지셨기에 십자가에 못 박혀 피 흘려 죽으셨고, 죄 없는 하나님의 아들이시기에 사망 권세를 이기고 죽음에서 살아나셨습니다. 그분은 지금도 살아 역사하시기에 우리의 기도를 다 들으시고, 전지전능하신 하나님의 아들이시기에 제한 없이 응답해 주십니다.

어떤 이가 절친한 이에게 무엇을 해 주겠노라 철석같이 약속했어도, 만약 그가 죽어 버리면 그 약속을 이행할 수 없습니다. 약속 지킬 당사자가 없으면 약속은 무효입니다. 또 아무리 약속을 지키려 애쓴들 그럴 만한 능력이 없다면 그 약속 또한 효력을 잃기 십상입니다.

하지만 창조주 하나님은 자신의 전능하신 능력으로 우리를 돌보시기에 한 번 하신 약속은 절대로 부도내지 않으십니다. 그래서 우리 기독교인은 기도하면서 행복을 느낍니다. 내 기도를 들으시는 주님이 계시고, 때가 되면 그가 이루어 주시고, 나를 의의 길로 인도해 주시리라 단단히 믿으니까요.

예수께서는 부활하신 후 40일 동안 제자들에게 보이시고, 승천하실 때 예루살렘을 떠나지 말고 기도하면 성령을 보내 주신다고 약속하셨습니다.

제자들이 마가 다락방에서 10일간 기도에 힘쓰자 그 약속대로 성령이 임했습니다.

우리 교회 작정 기도회는 제자들에게 성령이 임한 마가 다락방이 연상될 정도로 뜨겁습니다. 성령 받은 제자들은 예수 믿는 자들을 잡아 죽이려 하는 살벌한 예루살렘 네거리에 나가 "너희가 죄 있다 죽인 예수는 우리의 죄를 담당하고 죽은 하나님의 아들 구세주시다"라고 담대히 전했습니다. 성령이 임하면 땅끝까지 복음 전하라는 주님 말씀에 순종하여 순교하기까지 복음을 전했습니다.

우리 교회도 작정 기도회에 참석해 성령 충만함을 입은 성도들이 골목에서, 전철역에서, 시장 네거리에서, 사방군데로 흩어져서 전도했습니다. 또 직장에서, 사업장에서, 가정에서 계속 복음을 전했습니다. 그래서 이웃초청 예수사랑 큰잔치 날에 2000명 가까운 사람이 하나님 말씀을 듣고 예수 믿겠다고 손을 번쩍 들고 결신해서 우리교회 새신자로 등록했습니다. 그들 모두 예수 믿어 천국 가기를 소망합니다.

죗값으로 영원히 피치 못할 지옥 형벌에서 구원해 주신 주님께 감사합니다. 내가 힘들고 어려울 때 기도하게 하셔서 그 응답으로 마귀 역사를 이길 힘을 주신 주님께 감사합니다. 앞으로 닥칠 수많은 문제도 기도로 미리 막아 주신 주님께 감사합니다. 또 나만 천국 갈 것이 아니라 일가친척, 이웃 주민을 초청해 함께 구원받아 천국 가도록 우리를 선한 도구로 써 주신 주님께 감사합니다. 이런 힘은 모두 기도해서 얻었습니다. 우리 모두 영혼의 때를 위한 즐거운 기도로 행복하고, 계속 전도하여 하늘의 귀한 상을 함께 누립시다.

# 장애인, 그들도 하나님의 자녀입니다

*4월 20일은 장애인의 날…편견 없어져야*
*내가 구원받은 예수의 핏 값이 소중하듯*
*그들에게도 예수님의 사랑과 복음을 전해*
*귀한 역할 맡고 천국 가는 소망 넘치길*

  4월이 되어 벽에 걸려있던 3월 달력을 찢었습니다. 많은 기념일 중에서 4월 20일, '장애인의 날'이 눈에 들어 왔습니다. 우리 주변에는 알게 모르게 몸이 불편한 사람이 많습니다. 교통사고, 화재사고, 의료사고 등 예측할 수 없는 위험에서 누구도 완전히 자유롭지 못합니다. 어떤 이는 '우리는 모두 잠재적인 장애인'이라고 말합니다. 우리 인생은 언제 어떤 사고를 당할지 알 수 없기 때문입니다.
  교회복지부에서 충성하다 보면 성도들이 장애인을 대하는 다양한 시선을 느낄 수 있습니다. 어떤 분은 동정어린 눈으로, 어떤 분은 이해 못하겠다는 표정으로 봅니다. 분명한 점은 장애인도 하나님의 자녀이고 하나님의 작품이라는 것입니다. 그들에게도 하나님의 섭리와 계획이 있다는 말입니다. 그러므로 그들을 보는 시선을 바꿀 필요가 있습니다. 그들도 함께 살아가야 할 이웃이요, 하나님의 뜻을 이루는 귀한 역할을 맡은 사람입니다. 누구에게나 사람의 눈으로 설핏 봐서는 알 수 없는 하나님의 창조 목적이 숨어 있기 마련입니다.

태초에 천지를 창조하신 분이 하나님이십니다.(창1:1) 창조 여섯째 날, 사람을 지으시고 심히 좋아하신 분도 하나님이십니다. 천지 만물을 지으신 것은 사람들이 먹고 살기에 좋은 환경을 만들어주기 위함입니다.

우리가 쟁기 끌 소를 사더라도 외양간을 만들어놓고 여물을 준비한 후, 우시장에 가듯 하나님은 우리 인간이 살기에 최적의 조건을 만드신 후에 인간을 창조하셨습니다.(창1:26~31)

최근 상영된 영화 '증인'을 보면 자폐를 가진 여학생이 나옵니다. 살인사건의 목격자지만 자폐 증상 탓에 증인으로 채택되지 않습니다. 하지만 그녀는 청력과 기억력이 보통 사람보다 뛰어납니다. 시계의 미세한 소리도 들을 수 있고, 남의 말을 똑같이 복제하는 기억력도 뛰어납니다. 결국 그녀만의 특별한 능력을 인정받아 증인으로 채택되고, 그녀의 증언을 통해 범인을 검거하게 됩니다. 우리 교회 교회복지부에도 놀라운 기억력을 가진 청년이 있습니다. 한 번만 일러줘도 교사 이름은 물론 소속까지 전부 외웁니다. 하나님이 주신 달란트를 통해 행하실 일이 기대됩니다.

우리는 모두 하나님이 지으신 멋진 작품입니다. 우리가 만나는 장애인들에게도 예수님의 복음을 전해야 합니다. 그들도 예수님을 구주로 영접해야 천국갈 수 있습니다. 내가 구원받은 예수의 핏 값이 소중하듯이, 장애인들도 하나님의 사랑으로 천국 가는 소망이 넘치기를 기대합니다. 그들이 가족을 하나님의 품으로 인도하는 역할을 감당하기를 소망합니다. 하나님은 우리를 통해 구원받는 무리가 확장되기를 원하십니다.

## 하나님의 나라가 복음입니다

마태복음 4장을 보면 예수께서 40일을 금식하시고 마귀에게 이끌려 광야에서 시험을 받았습니다. 시험을 이기고 천사들의 수종을 받으며 돌아와, 이 땅에서 들려주신 첫 음성이 "회개하라 천국이 가까이 왔느니라"입니다. 그만큼 회개와 천국은 중요한 메시지입니다.

하나님의 나라는 하나님이 다스리는 곳입니다. 하나님의 말씀을 기준으로 살아가는 곳입니다. 죄인은 못 들어갑니다. 회개하여 깨끗한 사람만이 들어갑니다.

인류의 조상 아담이 범죄하자 온 인류에게 사망이 임했습니다. 불순종으로 말미암아 죄가 들어오고 영원히 지옥 갈 신세가 되었습니다. 하나님께서는 이러한 인류를 구원하시려고 창세기 3장 15절에서 보듯 메시아를 통한 구원을 약속하셨습니다. 이것이 성경의 첫 번째 예언이고 복음의 시작입니다. 예수님이 오셔서 하나님 나라를 이루실 것을 복음으로 알려 줬습니다.

사람은 모두 자기 죄 때문에 죽을 수밖에 없습니다. 다른 사람의 죄 문제를 해결하고 대신 죽을 사람은 아무도 없습니다. 그래서 하나님은 우리를 구원하시려고 독생자 예수를 보내셨습니다. 예수 그리스도는 사람의 몸을 입고 오셔서 우리 죄를 담당하고 십자가에서 죽으시고 삼 일 만에 부활하셨습니다.

사도행전 1장 내용처럼 '오직 성령이 너희에게 임하시면 너희가 권능을 받고 예루살렘과 온 유대와 사마리아와 땅끝까지 이르러 내 증인이 되리라'고 명령하신 후 승천하셨습니다.

마태복음 25장에는, 예수께서 마지막 날에 다시 오셔서 사람들을 양과 염소 구분하듯 천국과 지옥으로 심판하신다고 말씀하십니다. 그리고는 하나님의 나라에 들어갈 자로 '여기 내 형제 중에 지극히 작은 자 하나에게 어떻게 하였는가'를 기준으로 판단하십니다. 주린 사람, 목마른 사람, 나그네 된 사람, 병든 사람 그리고 옥에 갇힌 사람들을 대접함으로써 우리는 하나님의 나라 사람임을 증거합니다.

우리 교회는 누구보다 더 하나님을 사랑하는 윤석전 담임목사를 중심으로 전 성도가 하나 되어, 죽어가는 수많은 영혼에게 천국의 기쁜 소식을 전하고 있습니다. 지극히 작은 자 하나에게 한 것이 곧 내게 한 것이라 말씀하신 예수 그리스도로 말미암아 내 이웃의 지극히 작은 자에게 하나님 사랑을 전하고 하나님 나라를 소개하고 같이 천국 가기를 소망하며 지금도 기도합니다.

그들이 처한 물질의 부족함과 마음의 빈자리를 채워 주는 것에 우선하여 하나님 나라를,

예수 복음을 전해 줍니다. 구원의 소식이 빠진 물질은 박애주의에 불과합니다. 하나님 나라는 우리가 기어이 가야 할 본향이기에 지극히 작은 자에게 줄 가장 위대한 복음입니다.

주님께서 원하시는 것은 하나님을 향한 사랑이며, 그 사랑의 표현으로 이웃을 사랑하라고 하셨습니다. 하나님을 사랑한다고 하면서 형제를 미워하는 사람은 거짓말쟁이입니다.

눈에 보이는 형제를 사랑하지 못하는 사람이 보이지 않는 하나님을 사랑할 수 없습니다(요일 4:20).

모든 사람을 주님 대하듯 하며 모든 일을 주께 하듯 하나님 나라를 이뤄 가야 합니다. 하나님 나라를 모든 이에게 알려 주고, 모두 함께 하나님 나라에 가도록 이웃에게 하나님의 사랑을 전하는 우리가 되기를 소망합니다. 내 죄를 회개하고, 이웃에게 하나님의 나라를 전파하고, 하나님의 나라 백성으로 하나님의 말씀대로 살아가고 결국은 하나님 나라에 가는 날이 기다려집니다.

# 5월 기념의 날들에 그리운 사람들

*어린이, 어버이, 성년, 부부의 날 등*
*고마움을 표현하는 하루 되기를*

가정의 달 5월입니다. 화창한 봄을 시샘하듯 벌써 30도가 넘는 초여름 날씨를 보이지만 그래도 영산홍, 민들레가 동네 곳곳에 만발하고 식탁에는 미나리, 방풍나물, 냉이, 씀바귀, 돌나물 등이 우리 입맛을 향긋하게 만들어줍니다. 그리고 지난주 어린이날에 이어서 어버이날, 스승의 날, 성년의 날, 부부의 날이 우리에게 그리운 사람, 그리고 내 옆에 있는 사람들을 생각나게 해 마음을 풍성하게 합니다.

우리에게 미래의 꿈과 소망을 심어주는 존재는 자녀입니다. 재롱 피우며 이 세상을 조금씩 알아가는 모습으로 부모에게 한없는 기쁨을 주는 자녀 덕분에 인생은 참으로 살 만합니다. 그 과정 중에 자녀가 말을 듣지 않고 바르게 자라지 못해 마음 아파하는 세월도 있지만, 그것마저도 인생의 수많은 나이테를 만들어가며 아름다운 추억으로 우리에게 기억됩니다.

살 찢고 피 흘려 나를 낳아주신 부모님의 은혜를 생각하면 그것 하나만으로도 갚을 수 없는 은혜를 느낍니다. 때마다 좋은 먹을거리와 입을거리로 생애를 쏟아가며 키워주신 은혜는 말 그대로 하늘보다 높고 바다보다 넓은 크신 사랑입니다. 특별히 6.25사변을 겪으며 험난한 여정을 살아오신 세대의 부모님이라면 힘들고 어려운 여건 속에서 자녀를 키우느라 얼마나 수고하셨을지…. 생각만 하여도 그들의 수고가 가슴 가득 밀려옵니다.

참된 스승이 없는 시대라지만, 10여 년이 넘는 학교생활 가운데 고마우신 선생이 한 명도 없다면 그것 역시 마음 아픈 인생일 것입니다. 누구에게나, 어떤 계기로라도, 존경하고 사랑할 만한 스승은 있을 것입니다. 나를 신앙의 길로 이끌어주고 천국까지 가는 긴 여정에서 수많은 세상 유혹을 이길 수 있도록 늘 기도하며 권면하며 사랑해주시는 담임목사님이 내게는 잊을 수 없는 스승입니다.

성년이 된다는 것은 그만큼 책임과 의무가 따르는 것으로, 인생에 중요한 획을 긋는 시기입니다. 미성년자와 구분하여 성년이 됨을 기념하는 성년의 날은 독립된 자세로 인생을 살아갈 자격을 받는 날이기도 합니다. 또 둘이 하나가 되는 의미로 생긴 부부의 날(21일)도 서로의 반쪽을 만나 온전한 하나가 된 부부를 격려하는 소중한 날입니다. 특별히 5월에 우리에게 다가오는 이런 기념일로 지금 함께 있지만 표현하지 못했던 사랑을 서로에게 나누어주는 한 달이 되었으면 합니다.

기념일은 그날의 행사로 끝나서는 안 되고, 최소한 그날의 그리운 마음이 1년은 가야 내년 그날에도 다시 새로운 마음을 지닐 수 있습니다. 우리 모두 기념일의 의미를 가슴에 새겨 서로 의미를 나누고, 서로 사랑하고 감사하여 조화를 이루는 가족이 되고, 하나가 되는 사회를 만들어갑시다. 특별히 자신을 믿음의 길로 인도해준 신앙의 스승에게도 감사를 잊지 않는 우리가 되기를 소망합니다. 내가 맨처음 예수님을 만나도록 인도해준 친구, 부모, 형제, 스승이 우리에게 있을 터인데, 그들에게 찾아가 고마움을 표하는 뜻깊은 5월이 되었으면 좋겠습니다.

## 감사할 일이 많아요

계절의 여왕 5월이 어느덧 말엽에 이르렀지만, 4월에 있었던 세월호의 아픔으로 우리 마음에는 추운 바람만 불어옵니다. 슬픔에 빠져 지내느라 감사가 알알이 밴 5월을 성급히 지나 보내서 아쉽기만 합니다. 뒤늦게나마 5월에 있는 감사한 날의 뜻을 새겨 봅니다.

5월 1일 근로자의 날을 시작으로 5월 5일 어린이날, 5월 8일 어버이날이 지나고, 5월 11일 입양의 날, 5월 15일 스승의 날, 5월 19일 성년의 날, 5월 20일 세계인의 날, 5월 21일 부부의 날이 우리 곁을 지나갑니다. 그만큼 우리에게는 기념하고 감사할 날이 많습니다.

어린이날에는 우리 교회에서 지역주민초청 한마음잔치를 열어 수많은 지역주민이 자녀들과 즐거운 한때를 보냈습니다.

어버이날에는 부모와 교회 어르신들에게 카네이션을 꽂아 드리며 낳아 주고 길러 주신 은혜에 감사를 드렸습니다.

입양의 날에는 내가 고아원에서, 아니면 어떤 시설에서 지냈을지도 모르는데 아름다운 손길이 자녀 삼아 주시고 지금껏 키워 주신 은혜에 가슴이 울립니다.

스승의 날도 의미가 깊습니다. 코 흘리며 아무것도 모른 채 배움의 문을 들어선 것이 엊

그제 같은데, 자상한 미소로 맞아 주시고 열과 성을 다해 한 사람의 인격체로 길러 주신 스승의 뜨거운 사랑이 우리 눈시울을 젖게 합니다. 이만큼 성장한 공로는 부모님의 은혜뿐만 아니라 생을 스쳐 지나간 수많은 스승님 덕분입니다. 초등학교, 중학교, 고등학교 선생님, 교회학교 선생님과 목사님, 대학교와 대학원 교수님, 사회에서 만난 동료, 선후배 모두 삶의 스승입니다. 그 모든 분에게 감사한 마음을 전하고 싶습니다.

성년의 날은 성인 한 사람으로 자리매김하는 사회적인 공감대가 이뤄집니다. 상투 틀고 갓을 쓰거나 족두리를 하던 예전 풍습은 사라졌지만, 성년이 되어 사회적인 책임과 의무가 수반되는 중요한 날인 것은 틀림없습니다.

세계인의 날은 2007년 '재한외국인처우기본법'에 의해, 국민과 재한외국인이 문화·전통을 서로 존중하며 더불어 살아가는 사회를 조성하려고 매년 5월 20일에 제정한 날로, 세계인의 날부터 한 주간을 '세계인 주간'으로 선포했습니다. 그동안 도움만 받던 대한민국이 이제는 전 세계 각국에 도움을 주는 나라가 되었으니 이 또한 감사한 일입니다.

부부의 날은 둘이 하나 되는 의미를 살려 21일로 정해 기념합니다. "남자가 부모를 떠나 그 아내와 연합하여 둘이 한 몸을 이루되 사람이 나누지 못하리라"는 성경 말씀(마 19:4~6)처럼 어느 정도 장성한 자녀는 배우자를 찾아 새로운 인생의 길을 가야 합니다. 어렵고 힘들어도 서로 도와 가면서 험한 세상을 이겨 나가고 백년해로하는 부부가 되어야 합니다.

이 모든 것에 앞서 천지 만물을 소유하고 정복하며 다스리게 하신 창조주 하나님께 감사하며, 좋은 부모님을 통해 아름다운 세상에서 살 수 있게 하신 은혜에 감사합니다. 사회의 일꾼으로 잘 자라도록 안내해 주신 스승님께 감사하며, 좋은 배우자를 만나게 하셔서 감사합니다. 가정을 이루고 자녀를 낳아 커 가는 모습 속에서 기쁨을 마음껏 누리게 하셔서 감사합니다. 전 세계 모든 사람과 평화롭게 살 수 있게 하셔서 감사하며 죄인으로 죽어 갈 우리를 위해 구세주 예수를 보내셔서 믿고 천국 갈 거룩한 소망을 주심에 전심으로 감사합니다.

# 부부의 날에 생각하는 부부 단상(斷想)

*가정은 마지막 보루와도 같아*
*천국 소망 가득한 장소 되어야*

어린이날, 어버이날, 부부의 날이 있어 어느 때보다 가족을 살갑게 돌아보게 하는 가정의 달입니다. 부모님께 카네이션을 드리는 어버이날도 지나고 즐거웠던 어린이날도 지나 가정의 달도 꽃처럼 무르익어 가고 있습니다. 생각해 보면 가정은 하나님이 주신 최고의 기업입니다.

하나님은 가정을 이룬 아담과 하와에게 생육하고 번성하며 땅을 정복하라 축복하셨습니다(창1:22). 하나님은 남자가 부모를 떠나 아내와 합하여 한 몸을 이룰지니 사람이 나누지 못한다고 말씀하시며 부부가 하나 되는 가정을 이루어 사랑의 동반자로 평생 함께 살아가게 하셨습니다. 그래서 부부의 날도 둘이(2) 하나가(1) 된다는 의미에서 21일로 정한 것입니다.

그런데 요즘 세태를 돌아보면 수많은 부부가 너무 쉽게 이혼을 합니다. 젊은 부부가 결혼한 지 얼마 되지 않아 이혼하는 것도 모자라서 '황혼 이혼'이라고 해서 자녀를 결혼시킨 노년층도 많이 이혼한다고 합니다.

그동안 참고 산 이유가 자녀 때문인데 자녀를 결혼시켰으니 이제 헤어지겠다는 것입니다. 하지만 이혼은 절대로 본인만의 문제가 아닙니다. 가정이 해체되면 그 가족 구성원에게 미치는 정신적인 타격과 경제적인 어려움은 이루 말할 수 없습니다. 이혼이 늘어날수록 자살도 그에 비례하여 증가합니다. 사회 병리현상도 그만큼 늘어납니다.

이혼하는 부부를 살펴볼 때 부부 중심으로 살지 않고 자녀 중심으로 살아온 부부인 경우가 많습니다.

가정 내 모든 일은 부부가 중심이 되어 결정해야 합니다. 자녀를 키울 때도 부모의 권위와 말씀에 자녀가 순종하게 해야 합니다.

자녀를 훈계할 때도 부부가 하나 되지 않고 부부간에 서로 탓하기만 한다면 자녀 교육도 제대로 되지 않고 부부 사이도 벌어집니다. 부부가 하나 되어 서로 존경하는 모습을 보일 때 자녀가 부모를 존경하게 됩니다. 성경에도 자녀가 부모에게 순종하고 부모를 공경하여야 땅에서 잘되고 장수하는 복을 받는다고 말하고 있습니다(엡6:1~3).

부부가 서로 배려해 주고, 자녀에게는 부모의 권위를 세워 주어 가정에 질서를 바로 세울 때 자녀가 바르게 자라나고 부부는 더욱 사랑하게 됩니다. 그 속에서 하나님을 섬기는 신앙생활도 영위할 수 있습니다. 하나님 안에서 질서 있는 가정생활과 신앙생활이 천국까지 이끌어 주는 힘이 됩니다.

아무리 힘들고 어려운 일이 닥치더라도 지킬 만한 가정이 있어야 그 사랑으로 하나님의 말씀을 지키며 올바른 가정을 이룰 수 있고, 고난과 역경을 이길 힘도 가정을 통해 얻을 수 있습니다. 이런 하나님의 가정은 사회 전체적으로 선한 영향력을 만들어 갑니다.

가정은 우리가 어려움을 당할 때 최후의 보루가 되어야 합니다. 일에 지쳐 쓰러질 지경이라도 돌아갈 집이 있다면 그것으로 새 힘을 얻을 수 있습니다.

가정의 달을 맞이하여 주 안에서 부부가 하나 되어 자녀 중심에서 부부 중심으로 생활하고, 부부간에 서로 사랑하여 행복한 가정을 이루고, 나아가 천국 소망으로 충만하기를 바랍니다.

# 영원한 가치에 우선순위를 둔다면

*주님을 찬양하는 데*
*더 많은 시간을 할애하기를*

　우리 교회 제가 속한 찬양대원은 대부분 50세를 넘겼습니다. 비록 악보를 볼 때 눈이 날로 침침해지지만, 하나님을 찬양할 수 있다는 것에 감사해 만사 제쳐 두고 찬양하기를 사모합니다.

　남성 테너 파트는 적은 인원이지만 열심히 모여 연습하고 하나님을 찬양합니다. 최근 찬양대 임원들이 "대원들과 식사 한번 하십시오"라며 작은 봉투를 건넸습니다. 하반기에는 더 힘내서 찬양을 잘하라는 격려의 의미일 것입니다. 다른 파트보다 대원이 부족하니 더 모집하고, 현재 있는 대원은 단합해서 더욱 은혜롭게 하나님께 찬양을 올려 드리라는 무언의 권면일 테지요.

　그런데 다들 모일 시간이 없다고 합니다. '백수(白鬚) 과로사'라는 말이 있을 정도로 요즘은 은퇴 후에도 모두 바쁘게 살아갑니다. 그러자니 찬양대 테너 대원이 모두 모일 수 있는 날짜를 잡는 데만 2~3주 걸렸습니다. 한 대원이라도 더 모여 식사하며 친교하려고 애썼지만, 간신히 잡은 날짜에도 대원 3분의 2

만 참석했습니다.

현대사회는 가족 간에도 대화할 시간이 거의 없다고 합니다. 자료를 보면, 주제를 놓고 가족 간에 대화하는 시간이 1주일에 1분이 안 된다고 합니다. 마음의 여유가 없는 탓인지도 모릅니다. TV 보는 시간은 있으면서 왜 가족 간에 대화하거나 창조주 하나님을 찬양할 틈은 없을까요? '무엇을 우선하느냐'에 따라 시간 사용의 선택도 달라집니다.

좋아하는 사람과 함께 있으면 왜 그리 시간이 빨리 지나가는지 모릅니다. 좋아하는 물건도 마찬가지입니다. 온종일 장난감을 갖고 놀던 어린아이에게 이제 그만 장난감을 제자리에 놓아두라고 하면 더 놀고 싶다며 떼를 씁니다. 놀 시간이 아직 부족하니 더 달라는 뜻입니다.

평소 알고 지내는 성도들께 찬양대에 동참하자고 권합니다. 기다렸다는 듯이 권면에 응하는 분들도 있지만, 간혹 "시간 없다"며 거절하는 이도 있습니다. 우리가 받은 구원의 은혜에 감사해 하나님을 찬양하는 일에 우선순위를 둔다면 시간은 얼마든지 마련할 수 있습니다. 하나님이 인간을 지은 목적은 찬양을 받으시기 위함이요, 호흡이 있는 자가 할 일은 찬양입니다. 이 땅에서만 아니라 저 영원한 나라에 가서 할 일도 찬양입니다.

'시간 없다'는 말은 그 일에 가치를 두지 않는다는 뜻입니다. 즉 우선순위를 두지 않는다는 의미입니다. 찬양에 우선순위를 두면 찬양할 시간이 생깁니다. 찬양대 테너 친교모임에 우선순위를 두면, 다른 일을 제치고 시간을 할애합니다. 가족과 나누는 대화에 우선순위를 두면 가족애가 뜨거워집니다.

이제 '시간 없다'는 말은 그만하고 영적인 우선순위를 결정해 영원히 가치 있는 일에 마음을 쏟아야 합니다. 세상 허탄한 일에 마음을 빼앗기지 말고 하나님 찬양에, 신앙생활에, 영혼의 때를 위한 일에 우선순위를 두고 남은 날들을 투자하기 바랍니다. 찬양은 하나님이 기뻐 받으시는 가장 중요한 일입니다.

*"이 백성은 내가 나를 위하여 지었나니 나의 찬송을 부르게 하려 함이니라"(사43:21).*

*"할렐루야, 여호와의 종들아 찬양하라 여호와의 이름을 찬양하라"(시113:1).*

## 오른손이 하는 일을 왼손이 모르게

*어려운 이웃 내 몸처럼 섬길 수 있는 것은*
*주님이 주신 구원의 기쁨 때문*
*드러내지 않고 주님 사랑 나눌 때*
*천국에서 받을 신령한 복 가득 넘쳐*

　요 며칠 비가 많이 내렸다. 시간당 50㎜ 넘게 갑작스레 쏟아붓는 장대비. 오래간만에 내린 비는 그간 타들어 가는 농작물을 보며 애태우던 농민에게 가뭄 해갈의 기쁨을 안겨 주었다.

　하지만 장맛비가 계속되면서 비 피해 사례가 속출하고 있다. 퇴근길 교통 혼잡은 그렇다 치더라도, 문제는 침수 피해다. 밤사이 내린 폭우 탓에 집이 물에 잠겨 가전제품이 고장 나고 벽지와 장판이 못 쓰게 됐다. 화장실은 하수구 물이 역류해 역겨운 냄새가 진동한다. 집주인은 밤새 집 안으로 몰려드는 빗물을 막으려 사투를 벌인다. 하지만 물난리를 이길 장사는 없다. 아침에 일어나 물 폭탄에 어질러진 집 안 꼴을 보며 망연자실한다.

　이때 도움을 받으려면 가까운 동 주민센터나 경찰서를 찾아가야 한다. 119(안전신고센터)나 120(다산콜센터)에 전화해 도움을 받아도 된다. 이제는 혼자 사는 세상이 아니다. 도움받을 건 받고 살아야 한다.

서울시 동 주민센터에서는 주민의 안녕을 도모하고 팍팍한 인생길을 보듬어 주려 힘쓰고 있다. 비 오는 날에는 동네 구석구석 침수 피해가 없는지 살피고, 피해 주민이 있다면 양수기를 무료로 대여해 준다. 또 '마을변호사' '마을세무사' '마을간호사' '복지플래너' 제도를 시행해 주민 살림에 편의를 주고 있다. 전문가들이 법률·세금·의료·복지 관련 고민거리를 해결해 주려고 재능 기부 형식으로 주민 터전을 직접 방문한다.

이처럼 어려운 이웃이 없는지 찾아다니고, 보이지 않게 수고하는 손길이 있다. 이웃의 아픔을 나누는 이들은 쉽게 눈에 띄지 않는다.

하지만 어딘가에 분명히 있기에 세상은 아직 살 만하다.

어느 책에서 "사막이 아름다운 것은 어딘가에 우물이 숨어 있기 때문"이리고 말했다. 우리 성도들에게 세상이 아름다운 것은 주님께서 우리를 구원해 주시려고 십자가에 못 박혀 피 흘려 죽으시고 구원해주셨기 때문이다. 주님 덕분에 구원의 기쁨을 누린다. 그 구원의 기쁨으로 말미암아 "네 이웃을 네 몸과 같이 사랑하라"는 주님 말씀 따라, 수많은 성도가 보이지 않는 곳에서 이웃을 섬기고 주변을 돌아본다. 소외되기 쉬운 장애인에게 관심을 쏟

고, 찾는 이 적은 독거노인, 한 부모 가정, 소
년소녀가장 등 어려운 이들을 내 형제, 내 이
웃으로 여기며 섬긴다.

보이지 않는 곳에서 수고하는 이들을 위해
기도한다. 먼저 그들이 예수 믿어 영혼 구원받
기를 소망한다. 주님은 "지극히 작은 자에게
한 것이 곧 내게 한 것"(마25:40)이라고 말씀
하셨다. 보이지 않는 곳에서 수고하는 이들이
예수 믿어 주님 명령을 일상에서 늘 지켜 낸
다면 천국에서 받을 상이 얼마나 클까.

갚을 것 없는 소외된 이들에게 자기를 드러
내지 않고 주님 사랑을 나눠 줄 때, 하나님께
받을 신령한 복이 눈에 선히 보이는 듯하다.
우리 모두 하나님 나라에서 아름다운 상 받기
를 소망한다.

# 범사에 감사하는 행복한 인생

*영원한 나라를 바라보는 기쁨 누리길*

아침에 눈을 뜨면 제일 먼저 하루를 주신 하나님께 감사 기도를 합니다. '어제' 죽은 사람이 그토록 간절히 원하던 '오늘'이라는 귀한 하루를 살아가니까요.

지난 주일에도 매 주일 만나던 성도가 안 보여서 궁금해 전화해 보았습니다. 예배드린 후 예수 믿지 않는 가족을 전도하려고 부랴부랴 가족을 찾아보고 있다고 합니다. 그가 가족에게 복음을 전해 온 가족이 꼭 구원받길 기도했습니다. 돌아보면 우리 가족이 함께 신앙생활 하는 것이 얼마나 감사한지 모릅니다.

또 예배 시간에 늦게 온 자매가 있는데 안색이 파리해 보여 걱정돼서 물어보았습니다. 토요일에 너무 아파서 잠을 못 이루다가 겨우 일어나서 예배에 왔다고 합니다. 그 자리에서 그에게 건강 주시길 간절히 기도했습니다. 한편으로는 오늘 내가 건강한 몸으로 아침 일찍 교회 올 수 있어서 감사가 저절로 나옵니다.

지금의 나 된 것은 모두 주님의 은혜입니다. 내 모습을 이대로 받으시는 주님 때문에 감사합니다. 내가 약하고, 힘없고, 병들고, 의지할 곳 없을 때 나를 안아 주시고 길과 진리가 되셔서 지금까지 인도해 주신 주님께 감사하지 않을 수 없습니다. 내가 지금보다 더 유복한 환경에 있었다면 과연 예수님을 진실하게 믿을 수 있었을까. 나를 부하게도, 가난하게도 하지 않으시고 예수 믿을 수 있는 지금의 나로 만들어 주신 것에 감사가 밀려 옵니다.

자녀가 학교에서 공부를 못해도 오늘 학교 갔다가 무사히 집에 돌아온 것만으로도 감사가 나옵니다. 흉흉한 소식들을 신문과 뉴스에서 자주 접하다 보니, 험한 세상에서 별일 없이 "학교 다녀왔습니다"라고 씩씩하게 인사하며 들어올 때 그것만으로 감사합니다. 공부를 조금 못하면 어떻고, 키가 작으면 어떻습니까. 건강하게 학교 다니는 것만으로도 감사합니다.

지금 내가 가진 것으로 감사하면 행복합니다. 걱정할 일이 생기더라도 기도를 들으시고 가장 좋은 때에 가장 좋은 방법으로 해결해 주실 하나님이 계신다는 믿음이 있기에 행복합니다. 내 힘으로 세상을 살아가려고 하면 힘들지만, 나를 책임져 주시는 하나님으로 말미암아 감사하며 살 수 있습니다.

지난 '나라와 민족을 위한 기도회'에 참석하면서도 '지금 이 나라가 있기에 내가 예수 믿을 수 있고, 이 나라가 어려우니 내가 하나님께 기도할 수 있고, 앞으로 하나님이 응답하셔서 이 나라가 잘되어 우리 후손이 예수 믿고

천국 갈 수 있으니 감사합니다' 하는 마음이
가득했습니다.

어떤 이는 세상살이가 어렵고 힘들다고 합니
다. 그럴수록 우리는 기도하니 감사하고 행복
합니다. 또 다른 이는 세상이 평안하고 잘되어
간다고 합니다. 그럴 때에도 우리는 기도하니
감사하고 행복합니다. 범사에 감사하면 우리는
늘 기도할 수 있고 늘 행복할 수 있습니다.

지금 이 시대에 내가 예수 믿고 살아가니
감사하고 나라와 민족이 어려울 때 내가 기도
할 수 있어 감사하고, 내가 힘들어도 응답하실
주님을 보며 감사하고 내가 잘했을 때 할 수
있는 힘을 주신 하나님께 감사하면 내 삶이
범사에 감사하며 행복하게 살 수 있습니다. 우
리 모두 범사에 감사하여 행복한 인생을 살기
를 소망합니다.

## 이 땅에서 최고의 꽃은 '전도'

*피고 지는 꽃들 보면서 인생을 되돌아보면*
*예쁘게 핀 꽃들이 어느 순간에 지듯*
*인생의 젊음도 어느새 뒤안길로 사라져*
*주님이 주신 인생이란 귀한 선물 누리다가*
*후손에 물려주고 기쁘게 하늘나라로 가야*

올해도 꽃이 많이 피었습니다. 우리 교회에도 3월부터 매화와 목련이 차례로 꽃망울을 터뜨리더니 개나리, 벚꽃, 복사꽃, 철쭉 등이 향내를 풍기며 예쁘게 피었습니다.

올해는 5월에도 초여름 날씨를 방불케 했습니다. 6월 초입에 들어서자 어느새 진녹색 잎새들만 무성하고 꽃은 자취를 감췄습니다. 계절에 맞춰 핀 5월의 여왕 장미만 교회 담을 수려하게 장식해 주고 있습니다.

피고 지는 꽃들을 보며 인생을 되돌아봅니다. 고생하며 공부하던 고3 수험생활이나 밤늦게 보초 서며 훈련받던 군생활도 휙 하는 사이에 지나갑니다. 대학 졸업 후 직장을 잡으려 안간힘을 쓰고 결혼할 배필을 찾아서 식을 올리고 가정을 꾸리다 보면 어느새 삼십 줄입니다.

자녀가 태어나고 생계의 짐이 커지면서 역할과 기대가 점점 삶을 짓누릅니다. 꽃망울을 터

트리면서 화려한 모양새와 향내를 풍기던 꽃들이 어느 순간 지듯 우리 인생의 젊음도 어느새 뒤안길로 사라집니다.

지금은 교회 담장의 장미가 아름다움을 뽐내지만 여름이 지나 가을이 되면 꽃 대신 과실수의 열매가 뒤를 이어 우리를 즐겁게 해 줍니다. 우리도 하나님께서 주신 인생이라는 귀한 선물을 잘 누리다가 우리 후손들에게 물려주고 저 영원한 하늘나라로 기쁘게 돌아가야 할 것입니다.

남들과 비교하여 좌절하거나 힘들어하지 말아야 합니다. 내게 맡겨진 달란트의 유익을 남기도록 최선을 다하며 살아야 합니다. 개나리는 장미가 되려고 하지 않고 개나리로서 하나님이 창조하신 그 목적대로 개나리의 자태를 드러냅니다.

우리 각자가 하나님의 최고의 작품으로 태어났으니 하나님께 감사하면서 창조의 목적대로 살아야 합니다. 하나님의 피조물인 사실을 모른 채 살다 지옥 갈 뻔했는데 누군가에게 복된 소식을 듣고 구주 예수 그리스도를 만났으니 얼마나 감사합니까.

또 힘들고 어려운 세상에서 육신으로는 절대 이길 수 없는 마귀역사를 이길 수 있도록 성령 충만을 약속하시며 창조주께서 응답하려고 기도하라고 말씀하시니 얼마나 힘이 됩니까.

이 땅에서 가장 아름다운 꽃을 피우는 일은
한 영혼이라도 더 천국 가기를 원하시는 주님
소원대로 전도하는 일입니다. 내 전도 사명이
끝나더라도 새로운 사람들이 주님의 소원을
이어 갈 수 있도록 열심히 전도하기를 원합니
다. 하나님께서 허락하신 육신의 때를 영혼의
때를 위해 활짝 꽃피우다가 내 사명 다하면
그다음 사람에게 넘겨주고 기쁨으로 하나님께
돌아가기를 소망합니다.

# Part 3

## 3/4분기

# 서늘한 가을이

## 오고 있어요

# 세상이 줄 수 없는 상쾌한 휴가

*오랜 세월 변치 않고 이어온 하계성회*
*영혼이 소생하는 '시원함'을 느끼자*

우리 교회는 설립 해부터 지금까지 해마다 하계성회를 진행해 오고 있다. 코로나19로 인해 어려운 때에는 가정에서라도 어김없이 하계성회를 계속하고 있다.

무더운 날씨에 어디를 가나 찜통더위로 힘든데 호젓한 수양관에 모여서 하나님이 주신 폭포수 같은 말씀의 잔치에 참석해 내 영혼의 갈급함을 해갈하는 것은 내 인생에 커다란 이벤트가 된다.

여름휴가는 영적인 재무장을 하는데 아주 유용하다. 무엇보다 수양관에서 맞는 휴가는 그 어떤 것에도 비교할 수 없는 내 영혼의 유익이 있다. 자기 영혼이 소생하는 것을 느끼며 살아가는 사람은 하계성회가 어느 바닷가보다도 더 시원하고, 계곡에서 부는 그 어떤 바람보다도 더 좋은 상쾌함이 있다는 것을 알 것이다.

주일마다 말씀 듣고 예배드린다고 하지만 바쁜 일상 속에서 깊이 있는 말씀을 묵상하기도 어렵고, 생활 속에서 신앙적으로 나를 훈련하기도 어려운지라 전 국민이 휴가를 떠나는 여름에 내 영혼의 충전을 꾀하는 시간을 보낼 수 있다는 것이 얼마나 좋은 기회인가!

그동안 수양관에서는 연인원 수십만 명이 성회에 참석하여 죄에서 돌이켜 하나님과 뜨겁게 만나는 산 역사를 이루어 왔다. 노랑머리 청년들이 검게 염색하였고, 자신을 죄로 이끈 물건들을 공개적으로 반납하며, 허울뿐인 신앙생활을 해 온 지난날을 눈물로 회개하는 구원의 방주 역할을 감당하였다.

병에 매여 고통당하다가 마지막 희망을 안고 찾아와 고침을 받고 새롭게 인생을 출발하는 사람들이 있었고, 목회의 기로에서 방황하다 하나님의 뜨거운 사랑을 깨닫고 다시 출발하기로 마음먹은 목회자들의 기쁨도 있었다.

성령이 일하시는 절정의 현장을 보고자 많은 이들이 세계 각국에서 찾아왔다. 코로나 19로 인해 어려운 때에도 영상으로라도 어김없이 인도, 브라질, 네팔 등 세계 90여개 나라에서 목회자 수천 명이 목회자 세미나에 참석한다.

구원받은 은혜에 감사하며 말씀을 사모하여 모인 수많은 외국 선교사와 목회자들이 하계 성회를 통해서 영적인 힘을 얻고 목회의 비전을 찾고 각 교회에서 뜨거운 성령의 불길을 일으킬 귀한 자원을 얻고 돌아갈 것이다. 여름 성회를 통해 영적인 새로운 출발이 일어나고 있다.

교회신문 '영혼의 때를 위하여'는 이렇게 구원받은 은혜에 감사하여 기쁨으로 충성하고자 모인 성도들이 만들어가고 있다.

　2010년 1월부터 12면 주간 발행을 시작하여 그동안의 오랜 숙원을 이루었고 코로나 19로 인해 잠시 쉬었지만 지금은 700호 발행을 눈앞에 두고 있는데 영적인 재충전의 적기인 하계성회를 맞아 더욱 뜻깊게 생각한다.

　우리 모든 기자에게도 하계성회는 영적인 재충전의 가장 좋은 시간이기 때문이다. 우리 모두 재충전의 전당으로 휴가를 떠나자.

# 광복절이 소중한 이유

*일제 치하에서 벗어난 기쁜 소식을 전해 주듯
어둠 속에 있는 이들에게 해방의 소식 전해야*

2012년 8월 12일 경북 영주시와 경남 함양
군에서는 광복절을 기념하여 뜨거운 햇살을
받고 잘 자란 '광복 벼'를 수확했습니다. 2013
년 들어 처음으로 행해진 벼 베기입니다. 오랜
세월 우리 민족의 주식으로 자리한 쌀을 소재
로, 36년간 일제 치하에서 지내다 빛을 회복
한 날의 기쁨을 표현하였습니다.

찌는 듯한 무더위였으나 당시의 어둠을 깨친
즐거운 소식, 해방과 광복을 기리는 일은 소중
할 수밖에 없습니다.

우리 민족은 하나님께서 도우신 덕분에 여기
까지 왔습니다. 천지 만물을 주시고 소유하고
정복하며 다스리라 축복하신 하나님, 타락한
인류를 살리려 독생자 예수를 보내셔서 구원
의 길을 열어주신 하나님, 그러하신 하나님이
36년간 일제 치하 속에서 말도 잃고 이름도
잃고 식민시 백성으로 살던 우리 민족에게 해
방의 기쁨을 주셨습니다.

해방 이후에도 하나님께서는 우리나라에 은
혜를 부으셨습니다. 나라 기틀이 미처 바로 서
지 못한 상태에서 남과 북이 갈라져 전쟁이

일어나고, 유엔 연합군 깃발 아래 모인 세계 젊은이들이 피와 땀을 쏟으며 이 나라를 지켰습니다. 또 한 번 하나님이 도우셔서 살아난 대한민국은 지난 70여 년간 이른바 '한강의 기적'이라 일컬으며 사회 경제 여러 방면에서 부흥을 일으켜 전 세계인이 부러워할 만큼 앞서 가는 나라로 변모했습니다.

지난 세기에는 상상할 수도 없는 일들이 벌어졌습니다. 정치 민주화를 이루었고, 유엔 사무총장을 배출하였으며, 세계 7번째로 20-50 클럽(1인당 국민소득, 인구)에도 가입하였습니다. 핸드폰, 반도체, LCD TV 같은 첨단산업도 선도하고 있습니다. 올림픽, 월드컵, 세계 육상선수권대회 같은 각종 세계적인 대회를 유치하여 훌륭하게 치러내기도 했습니다.

이 모든 출발은 내 나라를 찾았기에 할 수 있는 일입니다.

나라를 찾게 하신 하나님께 우리는 여전히 간구할 일이 많습니다. 우리 교회는 전 교인이 나라와 민족을 품고 매일 기도합니다. 남과 북이 평화적으로 복음 안에서 자유민주주의 시장경제로 통일하기를 소망하며 간구합니다. 기독교가 왕성하던 이북지역에서, 우상처럼 세워진 김일성 일가 동상들을 철거하고 그 자리에 교회가 세워질 날을 기대합니다.

광복절을 맞아 우리나라와 민족을 품고 기도

하면서 한편으로는 한 줄기 빛으로 오셔서 나를 살려주신 예수를 기억하는 날이 되기를 소망합니다. 날이 더울수록 차가운 바람 한 줄기가 소중하다는 사실을 느낍니다. 더위와 비교할 수 없는 어둡고 뜨거운 지옥 고통을 생각할수록, 내 죄를 대속하려고 십자가에 달려 죽으신, 빛으로 오신 주님의 사랑이 더 크게 다가옵니다.

우리는 예수를 영접한 날에 개인적인 광복을 맞았습니다. 빛을 발견했습니다. 지옥의 어둠을 몰아낼 빛으로 오신 주님을 만났습니다. 영적 광복을 맞은 기쁨을 어둠 속에서 헤매는 이들과 나누고 싶습니다.

## 아직도 남아 있는 경술국치의 아픔

1910년 8월 29일은 대한제국이 국권을 상실한 치욕(恥辱)의 날이다. 대한제국은 1905년 을사늑약 이후 실질적 통치권을 잃어 일본 제국에 정식으로 편입됐고, 이때부터 일제강점기가 시작되었다. 이런 아픈 역사가 다시는 발생하지 않도록 이 나라를 잘 지켜야 한다.

1945년 8월 15일, 우리나라는 세계2차대전에서 연합군의 승리와 일본의 무조건 항복으로 해방되었다. 3년 후 믿음의 사람 이승만 박사는 사회주의를 선망하는 백성들, 공산주의를 추종하는 정치인들 속에서 남한에 시장경제, 자유 민주주의 정권을 세웠다. 김일성은 북한에 공산주의 정권을 세웠다.

남북으로 분단된 지 70여 년이 지났다. 김일성 일가의 독재체제하에서 인권을 유린당한 채 비참하게 죽어 가는 북한 동포들을 생각하면 일제치하보다 더욱 고통스런 삶이 되어 버린 현실이 가슴 아프다.

하루빨리 남북통일을 이루어 북녘 동포의 삶에도 행복이 깃들게 해야 한다. 특히 자유민주주의 시장경제로 마음껏 복음을 전할 수 있는 아름다운 통일을 이루어 내야 한다.

통일을 하되, 대한민국은 절대로 북한을 따라 공산주의로 통일하면 안 된다. 오직 민주주의로 통일해야 한다. 우리 모두에게 예수 믿을 복음의 자유가 있는 통일을 이루어야 한다.

우리나라는 광복 이후 수많은 민주주의의 시험을 거쳐 세계가 부러워하는 자유민주주의 선거제도를 정착하고 평화적인 정권 이양까지 이루어 낸 훌륭한 나라다. 폭발적인 경제 성장으로 반세기 전에는 전 세계에서 가장 못사는 나라가 현재 세계 10대 경제대국의 자리까지 이른 저력 있는 나라다. 성공의 밑바탕에는 성도들의 기도가 있었고, 하나님의 응답으로 오늘의 대한민국이 있는 것이다.

또 우리나라는 자동차를 제조하는 세계에서 몇 안 되는 나라이고, 스마트폰, LCD, 반도체, 조선 등 여러 분야에서 세계 최고의 기술력을 가진 대한민국 기업들이 국위를 선양하고 있다.

월드컵, 세계육상선수권대회, 올림픽을 모두 개최한 몇 안 되는 나라이기도 하고, G20 정상회의 의장국을 역임하며, 한 해 동안 천만 명이 넘는 관광객이 우리나라를 찾고 있다.

하지만 이런 문명의 발전 뒤에는 이혼, 자살, 싱직인 타락, 퇴폐 향락 문화, 왕따, 입시 지옥, 노인 문제 같은 윤리 도덕이 무너진 시대의 아픔이 상존하고 있다. 개인주의가 만연하고, 세계 최저 출산율을 기록하고 육신의 쾌락, 물질 만능주의의 폐해를 낳고 있다. 정치인들은 당리당략에 빠져 서로 싸우기에 바빠 민생을 외면한다. 최근에는 창조질서를 무시하는 동성애를 지지하려고 차별금지법을 발의해 통과시키려 한다. 이런 일들을 보면서 대한민국이 과연 하나님이 지키실 만한 가치가 있는 나라인가 생각해 본다.

이 땅에 경술국치 같은 치욕스러운 역사가 반복되어서는 안 된다. 나라를 빼앗겨서는 안 되므로 대한민국 안팎으로 강성해야 한다. 우리의 잘못을 회개하고 윤리 도덕을 새롭게 하고 올바른 정치가들이 나와 부패를 청산하고 국민을 위해 정치할 수 있는 나라로 만들어야 한다. 그리고 북한 정권의 압제에서 고통당하는 북한 동포들을 살려야 한다. 수많은 북한 동포가 굶어 죽어 가는데도 김일성 김정일 시체를 보관하는 데 천문학적인 돈을 쓰고 있는 저들을 징계해야 한다. 무모한 군사도발이 다시는 일어나지 않도록 힘을 길러야 한다.

1945년은 우리 민족이 그토록 기다리던 해방의 해였지만, 북한 동포들에게는 오히려 김일성 일가에 나라와 자유를 빼앗긴 해가 되었다. 행복이 가장 큰 불행으로 변해 버렸다. 아직도 북한 동포들에게는 경술국치와 같은 아픔이 남아있다. 어서 빨리 통일을 이루어야 한다.

일제강점기의 고통에서 해방되었는가 싶었는

데 오히려 일인독재 주체사상으로 정신이 피폐해지고 육체도 극심한 고통을 당하는 북한 동포들에게는 더욱 참기 어려운 70년 세월이었다. 통일의 날은 반드시 와야 한다. 우리의 잘못을 통회자복 하고 통일을 위해 기도하자. 통일을 위해 힘을 쏟자.

# 추수감사절로 우리 인생을 복되게

*참된 경배와 감사 받을 이는 오직 하나님*

8월 한가위는 우리에게 고단한 일상생활에서 벗어나 참으로 기쁨과 즐거움을 주는 날이다. 수확을 앞둔 풍요로운 곡식과 과일이 있어 즐겁고, 설레는 마음으로 고향을 찾는 이들에게는 오랜만에 만날 친지들에게 선물을 사기 위한 발걸음에 감사와 즐거움이 넘친다.

그러나 추석 연휴 기간에 고향에 갈 수 없는 어려운 사연을 안고 사는 이웃도 있다. 경제 위기로 청년실업이 줄지 않고, 비싼 학자금으로 대학생활도 녹록지 않고, 은퇴 이후 생계 걱정으로 노년기에 맞을 팍팍한 삶을 걱정해야 하는 사람들에겐 추석이라고 해서 기쁨을 즐길 여유가 없다.

그런데 어떤 사연을 안고 귀성길에 오른다 할지라도 영혼의 때를 준비하지 않는다면 그것은 일시적인 기쁨일 뿐 참된 기쁨이 아니다. 사람에게는 육신을 입고 있을 때만이 아니라 죽은 후에도 천국과 지옥이라는 영생의 삶이 있으니, 추석 명절이라고 하여 막연한 기쁨과 혹은 외로움으로 시간을 소비할 것이 아니라 인생을 어떻게 사는 것이 참된 것인지를 잘 생각해야 한다.

하나님께서는 천지 만물을 창조하여 인간에게 다 주셨고, 죄를 범한 후에도 인류에게 독생자 예수 그리스도를 보내셔서 인간의 죄와 저주를 대신 담당하시고 십자가에 못 박혀 죽게 하시어 우리를 죄와 저주에서 구원하여 주셨다. 이런 놀라운 하나님의 은혜를 알기에, 우리 기독교인은 하나님 외에 다른 어떤 신에게 우상숭배 하거나 제사하는 것을 절대적으로 피한다.

그러나 우리나라는 고려 시대에 죽은 조상에게 제사를 지내는 종교의식이 들어와 조선 시대에 정착하여 현재까지 한국인의 삶속에 큰 의미로 자리매김했다. 추석에 고향에 내려가 일가친척과 이웃을 만나 묵은 회포를 푸는 좋은 기회가 조상에게 제사 지내는 풍속과 연계해 우상숭배 자리로 전락해 버렸다.

많은 기독교인이 이런 잘못된 풍습을 타파하고, 추석 명절에 풍요로운 곡식과 과일 등 모든 만물을 주신 하나님의 은혜에 감사하며 찬양해야 하지만 가까운 친인척과 함께 우상숭배로 명절을 보내고 있어 안타깝기 그지없다.

우상숭배기 기독교인에게는 삼사 대에 미칠 저주(신명기 5장 9절)라고 보기에 아예 추석이라는 명절 의례를 없애려고 노력하는 움직임이 서서히 일고 있다.

8월 한가위에 막연한 기쁨에 부풀고, 명절이

라는 분위기에 들떠서 세상 사람과 멍에를 함께할 것이 아니라, 추석을 추수감사절로 바꾸어, 하나님께서 모든 것을 주셨음에 감사하고 영광을 올려 드리는 잔치를 벌여야 한다.

하나님께서 나를 지으셨고, 나를 자라게 하셨으며, 나의 죄를 담당해 주려고 독생자를 보내시고 나를 구원의 길로 인도하고 계신다는 사실과 가을에 추수할 풍성한 오곡백과를 주셨음에 하나님께 감사를 돌리고, 행복한 영혼의 때를 주신 하나님께 감사해야 한다.

추수감사절로 말미암아 더욱 풍요로운 인생의 문이 우리에게 열리기를 소망한다.

# 은인을 알고 도움에 감사하자

## *9월 모든 은택에 감사하는 달*

은택(恩澤)이란 한자어는 은혜와 덕택을 아울러 이르는 말이다. 나는 이 말을 은인(恩人)과 혜택(惠澤)이란 말로 풀이하고 싶다. 어려운 문제를 해결해준 은인, 곤란한 상황을 타개해준 은인, 죽을 수밖에 없는 나를 살려준 은인…. 인생을 살아가는 데 없어서는 안 될 꼭 필요한 소중한 분들이다. 여기에 덧붙는 혜택이란 말은 이익, 축복, 도움 등을 받아 누리는 것을 의미한다.

한평생 사는 동안 은택을 베풀어준 은인은 무척 많다. 우선 부모님을 빼놓을 수 없고, 이웃 친지, 좋은 선생님, 학교 친구, 직장 선후배를 생각할 수 있다. 부모님은 낳으시고 길러주셔서 지금의 나를 있게 하셨으니 모든 것에 감사할 분이다.

또 이웃 친지의 도움으로 우리 사회가 유지·발전했으니 감사한 일이다. 좋은 선생님과 학교 친구로 말미암아 인생이 풍요로워지고 다양한 지식을 쌓고 사회성을 배울 수 있음도 감사할 일이며, 직장 선후배의 도움으로 생계를 유지하고 사회에 이바지할 길이 있음에 감사할 따름이다. 또 지금 이 땅의 삶을 마치면 영적인 세계가 있기에 내 삶이 끝날 때 가야 할 천국을 알게 하고 천국으로 가는 길을 안 내해주는 영적인 목자가 있음에 늘 감사해야 한다.

이 모든 은택에 감사해야 하지만 우리네 삶을 뒤돌아보면 감사를 잊을 때가 잦다. 공기의 소중함을 무시하고 그저 늘 있는 것으로 여기다가 막상 공기가 필요한 처지가 돼서야 비로소 공기의 존재에 감사하는 것이 우리 모습이다. 우리에게 주어진 좋은 환경, 좋은 교회, 좋은 학교, 좋은 직장, 좋은 가정 등이 있음에도 미처 감사하지 못하고 내 힘으로 지금껏 살았다고 착각할 때가 잦다.

하지만 조그마한 문제만 생기면 이 모든 것이 감사할 일이었음을 금세 알 수 있다. 부모님께서 안 계시면 부모님께 받을 복이 없을 것이고, 친구가 없다면 친구로 말미암아 얻을 인생의 풍요로움이 없을 것이고, 교회가 없다면 우리를 구원하러 오신 예수님에 대해 듣지도 못하고 지옥 갈 내 처지도 알 수 없을 것이다.

천지 만물을 창조하신 하나님, 내 죄를 대속하신 예수님, 땅끝까지 순교를 각오하고 복음을 증거한 믿음의 선진들과 성령의 역사, 이 모든 영육 간의 은택이 우리가 쉬지말고 감사할 조건이다.

# 가치 있는 삶을 살려면

가치관이란 단어를 쉽게 풀이하자면 옳은 것, 바람직한 것, 해야 할 것 또는 하지 말아야 할 것에 관한 일반적인 생각을 말합니다. 무엇에 가치를 두느냐, 무엇을 중요하게 생각하느냐에 따라 행동하는 바가 달라집니다.

돈을 중요시하는 사람은 돈 버는 방법에 목말라 있고, 돈을 지키는 데 힘을 쏟고, 사람들과 나누는 화제도 주로 돈에 관한 것입니다. 운동을 좋아하는 사람은 경기장을 찾아다니고, 체육관을 이용하고, 운동선수들을 잘 압니다. 동물에 관심이 있는 사람들은 같은 길을 다녀도 동물병원을 눈여겨봅니다.

친구 중에 등산에 가치를 두는 이가 있습니다. 토요일 새벽 1시에 심야버스를 타고 시골로 내려가 이른 아침부터 산을 4시간 동안 타서 정상에 오른 뒤 다시 그만큼 걸러 하산합니다. 등산에 하루를 다 쓰고는 밤늦은 시간에 귀가합니다.

그래도 보람찬 하루였다고 고백합니다.

인터넷에서는 사람들이 좋아하는 화제를 인기검색어 순위로 확인할 수 있고, 그와 관련한 수많은 기사가 계속해서 나옵니다. 많은 사람이 이런 세상의 흐름에 편승해 하루하루를 바쁘게 보내고 있습니다. 가치관이 흔들립니다.

무엇을 해야 하는지 자신이 중요시 하는 가치관을 가져도 이를 지속적으로 지키기가 어려운 세상입니다. 그만큼 변화가 많고 유혹이 많은 세상입니다.

예수 믿는 사람은 천국 가는 일에 소망을 두고, 영혼의 때를 위한 믿음을 지키는 데 가치를 둡니다. 믿음을 방해하는 여러 유혹을 이기고자 힘을 씁니다. 재테크에 관심을 두더라도 죄짓지 않도록 거짓말하지 않고 깨끗하게 부를 추구합니다. 수단과 방법을 가리지 않고 돈을 추구하는 세상 가치와는 다릅니다.

학생이라면 공부하는 것이 주된 과제입니다. 공부에 가치를 둔 학생은 게임이나 연예인에 관심을 두지 않고 공부에 집중합니다. 자신이 지금 맡은 역할을 충실하게 하려고 합니다.

예수 믿는 학생이라면 남들이 다 부정행위를 하더라도 가치 있는 삶을 살고자 자기 양심을 지켜 정직한 성적을 얻습니다. 또 성적이 후퇴하는 일이 발생하지 않도록 하나님이 자랑할 수 있는 나를 만들자는 생각으로 공부에 매진합니다. 직장인이라면 남을 모함하거나 부정한 방법으로 이익을 챙기지 않고 열심히 일하고 오해받을지라도 가치 있는 삶을 살기 위해 참고 유혹을 이기는 인생을 삽니다.

세상 부귀영화보다 영혼의 때가 중요하다는 가치관을 가지고 세상을 살아갈 때 남들이 욕하고 비웃을지라도 나는 기쁨으로 감당할 수 있습니다. 힘들고 어려운 일이 닥칠 때 목숨보다 중요하게 지킬 만한 가치가 있다고 판단되면 넉넉히 이길 수 있습니다.

마태복음 4장에 보면, 마귀는 세상 권세를 가지고 예수를 시험했습니다. 지금도 세상 주관자 마귀는 여러 가지 방법으로 우리를 시험합니다. 하나님 말씀인 성경은 어둠 가운데 빛이 되어 마귀를 이길 방법을 알려 줍니다. 우리를 천국까지 인도해 주는 길과 진리요 생명이신 예수 그리스도를 소개합니다(요14:6).

지금 부유하고 행복하게 산다 하더라도 죽은 후 지옥에서 영원한 고통을 당한다면 가치 있는 삶을 산 것이 아닙니다. 지금은 견딜 수 없이 힘들지라도 영원한 천국을 바라보며 사는 것이 가치 있는 삶입니다. 우리는 가치 있는 삶을 살려면 육신을 입고 사는 현재에 급급할 것이 아니라, 영원히 사는 저 영혼의 때를 염두에 두고 하나님의 말씀대로 살아야 합니다.

# 천국으로 인도하는 내비게이션 'On'

*모르는 길 갈 땐 내비게이션 보고 가더라도*
*미리 지도 보고 대강 알고 가면 훨씬 편해*
*예수님은 천국 길 알려 주는 내비게이션*
*성경을 지도로 삼아 알고 가면 편안히 도착*
*성경으로 하나님의 큰 섭리 미리 깨닫고*
*오직 예수님만 따라 천국 가는 성도 되시길*

초행길을 가면 도로 사정과 교통 여건을 잘 몰라서 차량 내비게이션을 이용하게 됩니다. 그래야 새로운 길도 불안해하지 않고 자신 있게 갈 수 있습니다. 내비게이션이 없던 시절에는 초행길을 나설 때면 꼭 지도를 지참했습니다. 되도록 최신 지도를 구해 새로 난 빠른 길로 가려고 노력했습니다.

요즘은 지도를 거들떠보지도 않고 거의 내비게이션만 켜고 안내를 따릅니다. 그러다 보니 목적지에는 일찍 도착하지만, 어디를 거쳐 어떻게 왔는지 전혀 몰라서 되돌아갈 때도 내비게이션을 의지할 수밖에 없습니다. 이럴 때를 대비해 약간의 지도 지식을 갖추면 훨씬 편합니다. 지도를 보면서 내비게이션이 인도할 방향을 미리 알고 따라가니까 불안하지 않습니다. 게다가 내비게이션에는 목적지까지 가는 데 걸리는 시간이 표시되므로 늦더라도 안심

할 수 있습니다.

성경책을 볼 때도 내비게이션의 중요성을 깨닫습니다. 하나님 말씀이 무슨 뜻인지 하나님의 속마음을 알려 준다면 얼마나 좋겠습니까? 더욱이 관련 사례들을 알려 주고 주의할 점, 본받을 점, 내 것으로 만드는 데 참고할 사항 등을 알려 주어 내 인생에 도움이 된다면 좋겠습니다.

예수님께서는 "내가 곧 길이요 진리요 생명이니 나로 말미암지 않고는 아버지께로 올 자가 없느니라"고 말씀하셨습니다(요14:6). 즉 하나님께 가는 길을 안내하는 내비게이션은 예수님이라는 뜻입니다.

성경의 모든 주제는 예수님입니다. 천국으로 인도하는 내비게이션도 예수님입니다. 모든 문제는 예수님으로만 풀 수 있습니다. 그리고 성경은 지도와 같습니다. 성경을 지도 삼고 보면서 목적지로 안내해 가는 하나님의 섭리를 아는 길은 예수님으로만 가능합니다.

그런 예수님께서는 성령을 우리에게 보내 준다고 약속하시더니 승천하시면서는 "성령이 임하시면 너희가 권능을 받고 예루살렘과 온 유대와 사마리아와 땅끝까지 이르러 내 증인이 되리라"(행1:8)고 말씀하시면서 성령 충만하여 권능을 받고 수많은 사람과 나라에 복음을 전해 한 영혼이라도 지옥 가는 수를 줄이라고 당부하셨습니다.

　모르는 길을 갈 때 지도를 보고 어느 방향으로 가는지 대강 짐작하면 훨씬 쉽게 목적지에 도달합니다. 마찬가지로 성경으로 하나님의 구원사역을 미리 알고 길이신 예수님을 따라가면 천국이라는 목적지에 편안히 갈 수 있습니다. 또 길을 몰라 헤매는 수많은 사람에게 예수라는 내비게이션을 전달하여 모두 천국 가도록 힘쓰는 것이 우리를 위해 성령님을 약속하신 그분의 뜻입니다.

　성경으로 섭리하시는 하나님을 만나고, 길이신 예수님을 통해 하나님의 나라에 들어가는 모든 성도님이 되기를 기도합니다. 신앙생활에도 성경이라는 지도, 예수님이라는 내비게이션이 필요합니다.

# 돈 몇 푼보다 '일자리'가 노인 복지

*고령사회 진입하면서 노인 빈곤층 크게 늘어*
*세월 가면 누구나 자연스럽게 노인 되는 만큼*
*'나만 많이 벌겠다'는 이기적인 생각 버리고*
*상생하려는 사회적 노력과 가치관 변화 필요*

요즘 백화점이나 쇼핑몰에 가면 주차 안내하는 청년들이 크게 줄었습니다. 대신 60대 후반 어르신들이 안내하는 모습을 자주 보게 됩니다. 병원도 주차비 징수는 중년 여성들이 하지만, 안내는 거의 어르신들 몫입니다. 주유소의 잔일도 어르신이 맡아 합니다.

삶 곳곳에서 저출산·고령사회의 현실을 매일 만나고 있습니다.

학업이 길어지고 직장 찾기가 어려워지고 결혼이 늦어지니까 저출산이 발생합니다. 의료기술이 발전하고 안전의식이 확산되니 오래 살게 되고 노령인구가 늘면서 우리나라도 고령사회가 되었습니다. 하지만 일단 직장에서 정년퇴직하면 노인으로 생활하기가 녹록잖습니다. 수입은 없다시피 한데도 지출은 여전하고, 연금은 개시도 안 돼 노인이라고 혜택받는 점도 별반 없습니다. 마음은 한창이지만 일자리는 쉽게 구해지지 않고, 육체노동을 하기에는 버겁습니다.

이제 일자리를 나누는 상생(相生)이 필요합니다. 정년퇴직자를 위해 다양한 일자리를 마련해야 합니다. 현장 실무경험을 살리면서 직장에도, 개인 생계에도 도움이 되도록 급여를 낮춰 재취업할 수 있게 제도적으로 보장해야 합니다.

새로운 일터에서는 시간대나 일의 난도(難度)에 따라 일자리를 구분해야 합니다. 이른 시간에는 잠이 별로 없는 노인들에게, 택배처럼 힘든 일은 젊은이들에게, 상담이나 점검은 경험 많은 노장년층에게 맡기도록 힘써야 합니다.

또 일의 '가치관' 변화도 수반돼야 합니다. 직장은 자아실현 기회이면서 생계의 기초가 되므로 차별 없이 존중해야 합니다. 힘들고 어렵고 더러운 일, 이른바 3D 업종을 하대하지 말아야 합니다. 내게 주어진 일은 감사하게 수행하고, 남의 일은 내가 할 수 없는 일을 대신 해 주므로 고맙게 여겨야 합니다. '직업'이 아니라 '인격체'로 사람을 상대하는 세상이 돼야 합니다.

성경은 "힘써 일하라" "일하기 싫거든 먹지도 말라"(살후3:10)면서 노동의 신성함을 말합니다. 어떤 일을 하든 감사한 마음으로 열심히 하다 보면, 보람이 생기고 보수도 따라오고 삶의 즐거움도 오기 마련입니다. 남에게 얻어먹

겠다는 생각을 버리고 오직 수고하고 애써 주야로 일하여 분수에 맞는 소비생활로 누구에게도 폐를 끼치지 말아야 합니다.

나만 혼자 다 해서 나만 더 많이 벌겠다는 생각을 버리고, 일자리를 나누려 마음먹어야 합니다. 우리 모두 세월이 가면 자연스럽게 노인이 됩니다. 노인을 배려하는 차원에서 그들의 생계를 위해 일자리를 나눠야 합니다. 노인들을 존중하고 격려하고 손잡아 주는 사회가 돼야 합니다. '그깟 돈 얼마 벌려고 뭘 그렇게 하느냐?'는 식의 편견을 벗어야 합니다. 일해서 적지만 소득이 생기고, 일하다가 우울증이 떠나고 건강해져 삶에 활기가 넘치게 됩니다. 일해야 휴식이 얼마나 달콤한지 깨닫게 되고 돈 버느라 돈 쓸 시간이 없어 생활이 오히려 여유로워집니다. 우리 앞에 곧 닥칠 노년의 삶이 팍팍하지 않기를 소망합니다.

## '행복'하고 싶으신가요?

*삶의 어려움 인생에 항상 존재하나*
*내가 어떻게 생각하느냐에 따라서*
*감사의 조건으로 얼마든지 바뀌어*
*예수님은 죄로 고통받는 우리에게*
*진정한 안식과 행복 주러 오신 분*
*지금 죽어도 천국 들어갈 수 있으니*
*핍박과 어려움에도 만사 행복 넘쳐*

어느 청소부는 매우 짜증을 내면서 늦가을 가로수길 낙엽을 쓸어 담습니다. 하지만 다른 누군가는 '우리가 사는 지구 한 모퉁이를 내가 깨끗하게 청소한다'고 여겨 행복해합니다. '무슨 일을 하느냐'보다 '어떻게 생각하면서 일을 하느냐', 즉 일에 대하는 태도가 행복 지수를 높입니다.

법이 바뀌어서 재산세를 많이 내게 됐다고 불평하기보다 '내게 집이 있다는 증거'로 알고 감사하면 화가 누그러집니다.

말썽 피우는 자녀 탓에 삶이 힘겹다고 투덜대기보다 '내게 살뜰히 보살펴 사회의 일꾼으로 키워 낼 자녀가 있다'는 사실을 감사히 여기면 축 처진 어깨가 가벼워지고 콧노래가 절로 나옵니다.

매사 짜증 내는 상사 때문에 직장생활이 힘

들 때, 내게 가족과 함께 삶을 궁색하지 않게 영위해 나갈 직장이 있음을 감사한다면 인간관계가 더욱 풍성해집니다. 내가 불평하고 힘들어하고 어려워할 때, 어떤 사람들은 "내가 너라면 너무 행복하겠다"고 부러워할지도 모릅니다.

삶이 힘들어 살기 버거운 사람이 우리 주변에 꽤 있습니다. 몸이 아프거나 직장이 없거나 괴롭히는 사람들 때문에 마음에 상처가 깊은 사람도 많습니다. 하지만 인생은 아직 끝나지 않았습니다. 창조주 하나님은 우리에게 사명을 주셨기에 그 사명을 이루기까지 데려가지 않으시고 오래오래 참아 주십니다. 바로 내 영혼 구원이라는 사명입니다. 내가 오늘 예수님을 만나러 교회에 온 것은 인생에서 가장 중요한 터닝 포인트가 될 것입니다.

창조주 하나님은 우리가 죄로 지옥 가지 않고 예수 믿어 구원받고 천국에 오기를 간절히 기다리십니다. 영원한 행복을 주시기 위해서 말입니다. 그래서 구원받는 그 날이 속히 오도록 사람과 환경을 통해서 교회로 인도하시고 말씀으로 힘주시고 격려해 주십니다.

예수님은 성경 말씀대로 우리에게 오셔서 십자가에 피 흘려 죽으시는 고통을 당하시고 우리 죄를 친히 갚아 주셨습니다. 성령은 이 사실을 땅끝까지 전하려고 제자들과 초대교회 성도들을 감동·감화 하셔서 오늘날 내게까지 이 복음이 전해졌습니다. 이 사실을 알고 믿고 지키는 자들에게는 행복이 이 땅에서도, 저 하늘나라 천국에서도 넘쳐 납니다. 예수 믿어 구원받았기에 지금 죽어도 내 영혼 천국 간다는 참진리(眞理)를 믿으니 만사가 그저 행복뿐입니다. 세상에서 신앙생활을 방해하는 핍박을 만나도 예수님을 의지하며 기도해 참고 견디며 이기면 하늘나라에 가서 받을 상이 크기에 행복은 몇 배 불어납니다.

　지금껏 불평불만 하고 힘들게 살면서 목적 없이 방황했던 삶을 버리고, 내게 영원한 천국을 주신 '길이요 진리요 생명'이신 예수님을 만나 행복한 인생을 시작할 수 있습니다. 지금 바로 여기에서 행복을 만날 수 있습니다. 모든 환경과 조건은 같을지라도 내가 믿음을 결단하면 행복이 시작됩니다. 내가 예수를 믿으면 그 어디나 천국이 됩니다.

# 주거급여는 '저소득층 위한 제도'

*'나는 저소득 주민 아니구나' 생각하면 되는데*
*주거급여 못 받는다고 억지떼 쓰는 사람 많아*
*부족한 나 올 한 해도 주님께 감사할 일 넘쳐*

주민센터에 주거급여를 신청하는 사람이 많이 옵니다. '주거급여'란 저소득 가구에 한해 전·월세 임차가구에는 임차료를, 자가 가구에는 주택 개·보수 비용을 지원하는 제도입니다. 2015년 7월부터 시행했지만 부양의무자 기준이 폐지돼 더 많은 사람이 신청하고 있습니다. 소득기준 중위소득 45% 이하(1인 가구 기준 월 82만 2524원)를 대상으로 신청 후 주택 조사를 거쳐 최종 수급받을 수 있습니다. 가구원 수가 늘면 금액도 조금씩 늘어납니다.

예전에는 부양의무자 기준 때문에 꼭 필요한 분들이 혜택을 받지 못하는 경우가 종종 있었습니다. 사실상 부양 의사가 없는 부양의무자 때문에 신청이 불가능했던 저소득층 가구도 혜택을 받을 수 있게 변경된 것입니다.

신청하려고 주민센터를 방문하면 직원들이 기본 사항을 확인하고 필요한 서류를 안내합니다. 가끔 시끄럽게 민원이 생기는 경우가 있습니다. 자세히 살펴보면, 저 사람은 잘사는 자녀가 있는데도 주거급여를 받고, 나는 받지 못하니 억울하다는 내용이 대부분입니다. 작으나마 집도 있고 월세도 받지만, 직장이 없어 고정수입이 없고, 자녀가 안 도와줘서 그것으로 먹고살기 힘드니 주거급여를 받게 해 달라는 사람들이 와서 직원들을 힘들게 합니다.

기준이 안 돼 도와줄 수 없다고 해도 억지 떼를 쓰면 주민센터 사무실은 어수선해집니다. 그러면 어쩔 수 없이 자격이 안 되는 줄 알면서도 신청서류를 주면서 신청해 보라고 합니다. 돌아가지 않고 계속해서 직원을 힘들게 하니 서류를 주기는 하지만, 당사자는 어렵게 신청서류 내용을 작성해 와도 결국 주거급여대상이 아니라는 판정을 받게 됩니다.

그러면 금융정보제공동의서, 임대차계약서 등 필요 서류 준비하느라 힘들었다고 짜증 내고 관련 부서 직원들은 각종 서류 검토하느라 행정력 낭비로 이중삼중 피곤해집니다.

주거급여는 저소득 가구에게만 주어지니 주거급여를 받지 못한다면 '나는 저소득 주민이 아니구나' 생각하면 되는데, 늘 자기는 부족하다고 원망·불평 하고 짜증 내면 그 인생이 얼마나 주변 사람을 피곤하게 하고 자신을 초라하게 만드는지 모릅니다.

올 한 해 우리 교회도 주님의 은혜로 주님의 사역을 감당해 왔습니다. 담임목사가 건강하게 맡겨진 사역을 잘 담당하고 있는 데 우리는 얼마나 감사하고 있습니까? 우리가 지금 이 자리에서 신앙생활 하고 있다는 것 하나만으로도 감사할 일입니다. 기도 많이 하지 못하고, 전도도 충성도 많이 하지 못했지만, 하나님 은혜로 악에 빠지지 않고 여기까지 왔으니 마음속에 감사가 넘칩니다. 부족한 자를 써 주신 주님 앞에 감사합니다.

마귀는 내게 '올해 네가 무엇 했니?' 하고 참소할지라도 나는 하나님 은혜로 여기까지 왔으니 감사를 제한할 수 없습니다. 또 새로운 직분으로 나를 써 주실 주님을 기대합니다. 내 힘으로 할 수 없으니 '주님! 도와주세요' 늘 이런 고백이 내 속에서 샘솟아 한 해를 마감하길 원합니다. 늘 우리를 천국으로 인도하려고 애쓰는 교회의 목회방침에 따라 감사하며 그 믿음의 스케줄대로 신앙생활 잘하기를 소망합니다.

# 내가 만난 친절한 버스 기사님

*교통약자가 승차할 때까지 기다려 주고*
*어린아이 마음 헤아려 주는 모습에 감동*
*반면 급정차에 경적 울려 대는 운전자도*
*갈수록 남을 배려하지 않는 세상에서*
*우리는 빛과 소금 역할을 감당해야*

버스를 타고 가는 길이었습니다. 젊은 엄마가 어린 두 딸을 데리고 종종걸음으로 달려오자 세 모녀가 승차할 때까지 기다렸다 출발했습니다. 몇 정거장 안 가서 여섯 살쯤으로 보이는 큰애가 하차 벨을 눌렀습니다. 그러자 서너 살로 보이는 작은애가 "내가 누를 건데!"라면서 언니에게 화내며 엄마를 성가시게 했습니다. 그 모습을 가까이서 지켜보던 기사는 개폐 레버를 살짝 작동해 하차 등을 끈 다음, "이제 하차 벨을 눌러 보렴" 하고 말합니다. 아이가 벨을 누르며 기뻐하자 엄마가 고맙다고 기사에게 인사했습니다.

버스 뒷좌석에서 이런 모습을 보면서 '참 친절한 기사구나'라고 생각했습니다.

편안하게 버스를 타도록 기다려 준 것도 흐뭇한 일인데 두 아이의 실랑이를 보고 배려해 준 것이 인상적이었습니다. 보통 하차 등이 한번 켜지면, 다음 사람이 아무리 눌러도 그대로

입니다. 정류장에서 버스 문을 열어야 하차 등이 꺼집니다. 이런 구조를 아는 기사는 아이의 마음을 헤아려 하차 벨을 누를 수 있도록 배려한 것입니다.

어떻게 보면 아무것도 아닌 일 같지만 고된 업무 중에 쉽게 취할 수 있는 행동은 아닙니다. 매뉴얼대로만 움직이는 사회라면 하기 힘든 일이라고 볼 수 있습니다. 어린아이의 마음을 헤아리는 배려와 친절한 마음이 있었기에 오랜만에 만난 훈훈한 일화였습니다.

어떤 날은 불친절한 기사를 만납니다. 버스를 타고 가다 보면 중앙 버스전용차로와 일반 차로가 교체하는 구간이 있습니다. 버스가 중앙 버스전용차로로 들어가려고 하면서 미처 빠져나가지 못한 승용차에 계속 경적을 울리며 재촉합니다. 승용차 운전자도 차선을 바꾸려고 진땀을 뺄 텐데, 잠깐을 못 참고 경적을 울려 대면 앞에 있는 운전자 마음이 얼마나 괴롭겠습니까. '빵' 울리는 경적에 버스에 탄 제 마음도 불편해집니다. 또 젊은 사람이 버스에 오르면 '알아서 몸의 중심을 잡겠지' 싶어 급하게 페달을 밟는 경우도 봅니다. 아슬아슬하게 안전 손잡이를 잡고 몸을 휘청거리는 승객을 보면 제 마음도 '철렁 철렁'합니다.

반면에 '혹시라도 승객이 다치면 어쩌지!' 하는 마음에 나이 많은 승객이 타건 젊은이가 차에 오르건 승객이 자리 잡은 모습을 확인한 후 출발하는 기사님도 있습니다. 불친절 속에 이들의 친절과 배려가 더욱 돋보입니다.

"너희는 세상의 소금이니 소금이 만일 그 맛을 잃으면 무엇으로 짜게 하리요 후에는 아무 쓸데 없어 다만 밖에 버리워 사람에게 밟힐 뿐이니라 너희는 세상의 빛이라 산 위에 있는 동네가 숨기우지 못할 것이요"(마5:13~14).

우리는 하나님 말씀대로 세상의 빛과 소금이 돼야 합니다. 세상이 어두울수록 우리가 빛의 역할을 해야 하고, 부패해 썩어 가는 세상에서 소금 역할을 감당해야 합니다. 남을 배려하지 않는 불친절한 세상에서 내가 예수님의 사랑으로 남을 배려하고 친절을 베풀면 더욱 예수님의 향기가 나고 세상의 빛과 소금이 될 수 있습니다. 남에게 감동을 줄 수 있습니다.

작은 배려가 사람의 마음을 움직입니다. 예수님의 사랑으로 수많은 불신자에게 친절과 배려를 베풀어 복음이 왕성하게 전파되도록 힘쓰는 그리스도인이 되기를 소망합니다.

# 주님 주신 달란트로 자녀를 키워야!

*4차 산업혁명 시대 '따라 하기'로는 성공 못 해*
*좋아하는 일 찾아 다양한 경험 쌓는 게 좋아*
*신앙생활도 각자 가진 달란트로 기쁨 누려야!*

얼마 전 학부모 특강에 참석했다. 사춘기 자녀를 어떻게 대해야 하는지 고민하는 학부모들이 모였다. 강사는 "몸만 자랐지 정신은 자라지 못해 힘들어하는 자녀를 이해하자"라며 "꾸준한 사랑을 베풀며 기다려 주라"고 당부했다. 특히 무엇을 할지 몰라 방황하는 자녀에게 부모가 강권해서 길을 제시하기보다 다양한 경험을 쌓게 해서 자신이 잘하는 일을 찾도록 안내하라는 말이 인상적이었다.

4차 산업혁명 시대에는 현존하는 직업 중 절반이 사라진다고 한다. 인공지능 로봇이나 사물인터넷(IoT)으로 작업환경이 바뀌어 유망 직종이 사라지는 경우도 많으므로 변화해야 살아남는다. 자율주행차가 거리를 활주하고, 가로등, 보육, 노인 돌봄, 소방차 출동, 주차관리 등이 자동화되는 스마트시티는 우리 삶에 획기적인 변화를 일으킬 것이다.

이런 시대를 살아가려면 우리 자녀에게는 창의력, 개성, 다양성, 배려 같은 능력이 필수다. 이제는 남들이 하니까 따라 하는 식의 공부로는 성공할 수 없다. 자신이 좋아하고 잘하는 일을 찾아야 한다. 책상에 앉아서 영어 단어, 수학 공식을 외우는 공부가 아니라, 좋아하는 일을 찾아 관련된 사람을 직접 만나고 현장을 찾아가 필요한 지식을 얻어서 내 능력을 발전시키는 것이 새로운 공부 방법이다. 좋아하는 일을 하면서 만나는 실패는 경험이 돼 성공을 만든다. 그렇게 하는 공부가 내 미래를 위한 투자다.

자발적인 공부법은 신앙생활과 비슷한 부분이 많다. 예수 피로 받은 우리의 구원은 싸구려가 아니다. 하나님 아들의 피를 지급하고 구원받았으니 감사하며 충성해야 한다. 내게 있는 달란트를 사용해 충성한다면 더 만족스러울 것이다. 전도, 교사, 주차 안내, 차량 운전, 식당 보조, 찬양, 악기 연주 등 여러 모양으로 내게 맞는 자리에서 충성한다면, 이 충성들이 모여 교회가 세워지고 수많은 사람이 전도돼 그들이 더 큰 영적인 사람으로 만들어진다.

전도하는 자가 많아도 양육하고 섬기는 자가 없으면 열매 맺지 못한다. 찬양하는 자가 많다면 그들이 마음껏 찬양하도록 악기로, 시스템으로 지원해 줄 사람이 필요하다. 각 부서를 세운 이유도 영혼 구원이라는 큰 열매를 얻기 위함이다. 각자 달란트를 가지고 충성하려면 우리는 서로 사랑하고 존중해 줘야 한다. 주의 일을 하는 데는 크고 작음이 없기 때문이다. 우리 자녀도 구원의 길에서 탈락하지 않도록 주님 주신 달란트로 주의 일을 하며 신앙생활 하는 기쁨을 누려야 한다. 그때까지 기도해 주고 인내해 주기를. 사회에서도 좋아하는 일을 하는 사람이 되도록 기다려 주는 부모가 되기를 소망한다.

## 사람은 누구나 실수를 합니다

*실수 이후에 어떻게 하느냐가 더 중요*
*남의 허물 너그러이 용서할 줄 알아야!*
*자신의 잘못도 용서받을 수 있어*
*주님께서 가르쳐 주신 기도 되뇌어 봤으면*

　좋은 특강이 있다고 해서 홍보지에 적힌 대로 일시와 장소를 스마트폰에 저장해 두었습니다. 알람 기능을 켜 놓았기에 며칠 뒤 저장된 일정을 확인하고 참석하러 갔습니다.
　그런데 특강 장소에 도착했더니 관계자가 아무도 없고 전혀 다른 행사를 준비하고 있어 황당했습니다. 어쩔 수 없이 집으로 터덜터덜 돌아왔습니다. 홍보지를 다시 펼쳐 보고 나서 스마트폰에 날짜를 잘못 입력한 사실을 알았습니다. 제 실수로 시간과 차비를 낭비한 것입니다. 마음이 아팠습니다.
　특강을 못 들은 것보다 실수한 저 자신이 안타까웠기 때문입니다.
　주변에 일어나는 모든 일을 되도록 세심하고 꼼꼼하게 챙기려 노력해도 때때로 이런 실수를 저지르는 것을 보면, '사람에게는 한계가 있구나' 하는 점을 깨닫습니다. 그러기에 남의 허물을 발견하더라도 탓하기보다 자신을 뒤돌아보게 됩니다. 남을 나무라기 전에 그 사람의 실수를 너그러이 용서해 주어야 나의 잘못도 용서받겠구나(마6:12) 싶어 주님께서 가르쳐 주신 기도를 되뇌어 봅니다.

베드로가 저지른 치명적인 실수는 삼 년 넘게 스승으로 모신 예수를 세 번이나 부인한 일입니다. 그런데도 우리는 그런 베드로에게 손가락질할 수 없고, 그저 반면교사로 삼아야 합니다. 2천 년 전, 예루살렘에는 "예수를 잡아 죽여라"라는 성난 군중의 목소리가 들끓었습니다. 만약 그곳에 내가 있었다면, 나도 예수를 구세주로 인정하지 못하고 '저주하고 맹세하노니 나는 저를 모른다'라고 부인했을 것입니다.

사람은 참으로 실수를 많이 합니다. 보통 합숙 훈련에 참여하면 타인의 알람 소리 때문에 잠을 설칩니다. 시각별로 여기저기서 울리는 모닝콜 탓에 여러모로 힘듭니다. "단체생활이니 제발 휴대전화를 끄고 주무세요." 여러 차례 말해도 모두 다 지키기는 쉽지 않은가 봅니다. 드물게 모닝콜이 울리지 않은 적이 있었는데 얼마나 감동했는지 모릅니다.

이처럼 실수 많은 인간이기에 선한 행동을 보면 깊게 감동을 합니다. 예수의 제자들은 성령을 충만히 받자 예수께서 당부한 대로 죽음을 무릅쓰고 복음을 전하다 대부분 순교했습니다. 참으로 아름다운 죽음입니다. 그들이 순교하면서까지 전해 준 복음 덕분에 멀고 먼 이방 땅에 사는 우리까지 예수 믿어 구원받았으니까요.

사람은 실수를 자주 저지르면서도 아름다운 감동을 만들어냅니다. 욕심에 취해 실수하거나 부지불식간에 잘못할 수 있지만, 그런 사람들을 용서하고 사랑해야 합니다. 내 잘못처럼 여기며 품어 주어야 합니다. 아름다운 감동을 주려면 전체를 위하는 마음을 가져야 합니다. 천국이라는 귀한 선물을 전해 주려고 목숨을 초월한 사랑이 실수 많은 인간에게 아름다운 감동을 줍니다.

# Part 4

## 4/4분기

# 추운 겨울이

## 오고 있어요

## 어느덧 시월이 왔네요

*영혼의 때를 위해 바쁘게 사는 행복*
*가족에게도, 이웃에게도 전해 주세요*

어느덧 아침저녁으로 제법 서늘한 바람이 부는 시월입니다.

누구나 눈이 시릴 정도로 높고 푸른 가을 하늘의 맑은 햇살 아래서 좋아하는 사람과 데이트를 즐기고 싶겠지요. 이때, 풍요로운 시월의 정감이 겹치면 훨씬 멋있게 느껴집니다. 반면 시월에 사랑하는 이를 보내고 마음에 슬픔을 묻은 사람에게는 생각하기도 싫은 날이 되겠지요. 이렇게 계절은 무심하게 지나가면서 세월의 나이테만 늘어 갑니다.

정부와 기업은 내년 예산을 작성하느라 분주합니다. 벌써 초안을 끝내고 마지막 조정을 하는 곳도 많습니다. 우리 교회도 벌써 내년 사업 계획이 거의 완성되었다고 합니다. 이젠 올해를 아름답게 마무리하는 데 힘을 쏟아야 합니다.

시월에는 교회에서 여는 다채로운 행사가 많습니다. 다음 10월 9일(한글날)에는 '지역주민 초청 한마음잔치'를 성대하게 엽니다. 더욱 알차고 유익하게 준비해 우리 교회에 초청된 수많은 이웃이 교회에 좋은 인상을 갖고 돌아가면 좋겠습니다.

주님으로 말미암아 충성하는 성도들을 보고 그들도 우리처럼 예수 믿고 즐거운 행사에 참여하고, 지역사회에 도움이 되기를 바라면 좋겠습니다. 저렴한 먹거리, 풍성한 놀이체험, 재밌는 영화감상에 무료 한방진료와 이.미용 서비스도 제공하니 평소 친하게 지내던 이웃들을 초청해 흥겨운 시간을 나누었으면 합니다. 명절 때 찾아뵙지 못한 일가족을 초대해 가족 간 정을 나누기도 좋습니다. 어린이와 어른 누구에게나 즐겁고 행복한 시간이 될 것입니다.

또 10월 25일에는 '이웃초청 예수사랑큰잔치'가 열립니다.

우리 가까이에 있는 수많은 불신자 이웃에게 예수 믿고 천국 가자고 평소보다 더욱 애타게 전도해야 합니다. 교회는 세상에서 예수를 모르고 살다가 지옥 가는 사람을 살려 천국으로 보내는 일을 담당하려고 존재합니다. 내가 전하지 않으면 들을 수 없고 듣지 못하면 믿지 못합니다. 죽어 지옥에 간 수많은 사람은 '육신의 때가 한 번이라도 다시 온다면 내가 예수 잘 믿고 천국 갈 텐데' 하고 가슴을 치며 울부짖지만, 그들에게는 기회가 없습니다. 병들어 오늘내일하는 사람이라도 그들에게는 마지막 기회가 있습니다. 복음을 듣고 천국에 가야 합니다. 지옥은 견딜 수 없는 곳이기 때문입니다.

'시월의 어느 멋진 날'에 우리는 예수를 만나야 합니다. 이토록 아름다운 세상을 지으신 분이 하나님이시요, 죄에 빠진 우리를 구원하려고 십자가에서 죽기까지 우리를 사랑하신 분이 하나님의 아들 예수 그리스도입니다. 예수를 만난 이는 최고의 행복을 만난 사람입니다. 그렇지 못하고 예수를 만나지 못해 지옥 가는 사람에게는 이번 시월이 영원한 헤어짐을 가져오는 정말 '잊혀진 계절'이 될 수도 있습니다.

주변의 이웃들을 '한마음잔치'에 초대하고 '이웃초청 예수사랑큰잔치'까지 이어져 그들이 예수를 만나고 구원받는 멋진 시월이 되기를 소망합니다.

# 하늘나라 일복이 많은 사람

*"심은 대로 거두리라"(갈6:7)*
*주님께서 약속하신 말씀처럼*
*믿음의 일정 동참해 충성해야!*
*내 영혼의 때에 거둘 열매 많아*

　주위에 보면 유난히 '일복' 많은 사람이 있습니다. 이들은 없는 일도 만들어서 하는 충성스러운 사람들입니다. 때로는 일에 치여 지쳐 보이기도 하지만, 일해 놓고 거두는 맛을 알기에 두 팔을 힘차게 걷어붙입니다. 또 일이 없으면 말 그대로 '일이 안 되는 것'을 아는 이들이기에 힘들어도 해냅니다.

　늘 새로운 일을 찾는 사람들은 발전합니다. 더 좋은 세상을 만들고, 더 나은 미래를 건설하려고 새로운 무언가를 시도합니다. 물론 실패도 합니다. 하지만 실패한 만큼 경험이 쌓이고 내공이 되어 나중에는 예상치 못한 좋은 열매를 거두기도 합니다.

　우리 교회도 매년 은혜로운 영적 일정을 세우고 바쁘게 실행합니다. 기도하고 찬양하고 예배드리고 각종 성회에 참석해서 은혜받고 다양한 달란트로 충성하며 영적 생활에 힘을 쏟습니다. 성령께서 감동하는 대로 영혼을 살리고자 하는 여러 믿음의 일정 때문에 육체는 힘들지만, 영적 유익이 눈앞에 보이기에 주저하지 않고 충성에 나섭니다.

10월에 열리는 '지역주민 초청 한마음 잔치'를 처음 시작할 때만 해도 준비하는 성도들은 새로운 일거리 때문에 무척 힘들었을 것입니다. 어느덧 세월이 지난 지금은 어렵지만 모든 준비가 착착 진행되고, 볼거리, 즐길 거리, 먹을거리가 날로 다양하고 풍성해져 많은 지역 주민이 찾아오는 소문난 잔치가 되었습니다.

오는 10월 22일 이웃 초청 예수 사랑 큰잔치를 비롯해 10월에는 각종 성회와 감사 절기 일정이 연달아 있습니다. 믿음의 일정을 통해 영적 성장과 유익을 주시려고 주님이 마련한 기회들입니다. 육체가 힘들다고 충성을 멀리하면 그 영적 손해는 어마어마합니다. 마귀는 우는 사자같이 삼킬 자를 두루 찾고 있는데 육신에 져서 자기에게 맡기신 주의 일을 포기한다면 마귀에게 삼킨 바 된 것이니 영혼의 때에 얼마나 후회막급하겠습니까.

무엇보다 우리를 살리려고 독생자를 아낌없이 내어 주신 하나님의 은혜를 체험했다면, 신앙 양심상 영혼을 구원하려고 벌이는 이 귀한 천국 잔치에 손 놓고 있을 수는 없습니다.

자기 몸을 십자가에 못 박혀 피 흘려 돌아가시면서도 "나는 죽어도 좋다. 너희는 내 살과 피를 먹고 살아라" 하신 예수님의 그 뜨거운 사랑을 만난 사람은 누구나 바쁜 일을 뒤로 하고 주의 일에 충성하게 됩니다. 예수의 십자가 대속 사건을 몰라 죗값으로 지옥 가는 수많은 사람에게 복음을 전하기 위해 제자들과 성도들을 순교하기까지 아끼지 않고 땅끝에라도 보내 주신 성령님의 감화 감동을 입었다면 충성하지 않을 수 없습니다.

우리가 구원받고도 이 땅에 살아 있는 이유는 세상에서 예수님 모르고 살다가 지옥 가는 사람들에게 예수를 전해 주고 천국으로 보내기 위해서입니다. 교회에서 하는 모든 일은 영적인 일이요, 영혼 구원을 위한 것이니, 적극적으로 참여하여 하늘의 신령한 상을 받아 누리길 소망합니다. 일을 찾아서 하면 그만큼 열매가 큽니다.

# 오래 기다린 당신, 행복을 바랍니다

*방황하다 지친 모든 이를 환영합니다*
*예수 그리스도로 영원한 행복 누리길*

　국화꽃 한 송이를 피우려고 봄부터 소쩍새가 울고 수많은 바람과 비를 맞으며 농부가 수고의 땀방울을 흘렸습니다. 수확을 앞둔 풍성한 과실과 마무리를 앞둔 한 해의 작품이 이 계절을 더욱 풍요롭게 합니다.

　인생사에서도 결실을 앞둔 시기입니다. 연초에 신입생으로 만난 친구들과 막역해졌고, 새로 들어간 회사에서는 일이 손에 익어 제법 직장인다운 분위기가 풍깁니다. 공부를 시작한 사람은 학문이 깊어져 조금만 더 정진하면 좋은 결과를 얻을 것입니다. 사랑을 고이고이 가꿔 온 사람은 더 추워지기 전에 따뜻하고 좋은 사람을 곁에 두고 싶어 합니다. 그동안 마음에 품은 사랑이 좋은 결실을 보아야 합니다.

　우리 그리스도인 역시 내 영혼의 때에 결실을 보려고 힘을 내고 있습니다. 성경 말씀은 어디서 와서 어디로 가는지 몰라 방황하다 지친 우리에게 인생의 길과 진리와 생명을 알려 줍니다. 이른바 좋은 소식인 복음을 전해 줍니다. 좋은 곳을 발견하거나 맛있는 음식을 먹게 되면 이웃에게 소개하고 권면하게 되듯이 그리스도인들도 성경 말씀과 설교 말씀으로 경험한, 주님이 십자가에서 피 흘리신 뜨거운 사랑의 소식을 전해 영혼의 때에 결실이 있길 바랍니다.

우리 교회에서 열리는 이웃초청 예수사랑큰잔치는 예수라는 복된 소식을 가까운 이웃과 친지에게 전하려고 마련했습니다. 하나님께서 천지 만물을 지으시고 우리 인간도 지으셔서 그 만물을 사용하도록 복을 주셨습니다.

그러나 최초의 사람 아담이 하나님이 먹지 말라 하신 선악과를 먹어 하나님과 사이에 죄의 담이 가로막히고 영원한 형벌을 받게 되었습니다.

하나님께서는 인간의 멸망을 방관하지 않으시고 죄 없으신 하나님의 아들 예수를 이 땅에 보내주셔서 인간의 죄를 담당하게 하시고 우리의 죄를 씻어 천국에 갈 수 있게 해 주셨습니다. 이제 예수께서 내 죗값을 대신 갚으시려고 십자가에서 피 흘리신 사실을 믿고 회개하면 지옥 갈 문제가 당장에 해결됩니다.

이번 총력전도주일에 우리 교회에 오신 분들은 왜 그렇게 가족이, 동료가, 선후배가 교회에 가자고 했는지 궁금하실 겁니다. 그들이 그동안 무수히 전화하고 밥도 같이 먹고 좋은 관계를 유지하다가 초청한 이유는, 이번 기회에 예수를 만난 기쁨을 전하려고 한 것입니다.

이 자리에 모신 여러분을 축복하며 예수라는 구원의 소식을 전하여 행복을 안겨드리고자 합니다.

만산에 푸르던 잎이지는 모습을 보면서 뜨거웠던 여름을 뒤로하고 마지막 화려함을 보여주는 자연이 아름답습니다. 자연은 그렇게 열매를 맺고 만족함을 주고, 사랑하는 마음을 안겨 주고 함께한 이웃을 돌아보게 합니다. 함께 힘들어하던 하루하루가 추억이 되어 좋은 관계로 마무리되기를 소망합니다.

우리 영혼의 때 역시 아름다운 계절을 닮아 더욱 너그러운 마음으로 흥겨운 웃음을 최후에 함께 나누면 좋겠습니다.

오랜 기다림 끝에 만난 여러분을 사랑합니다. 여러분을 위해, 우리 모두를 위해 주님은 자기 목숨을 버리셨습니다. 그 사랑을 꼭 받아 누리시기를 원합니다.

## 너를 잠잠히 사랑하시는 분

*"너의 하나님 여호와가 너의 가운데 계시니 그는 구원을 베푸실 전능자시라 그가 너로 인하여 기쁨을 이기지 못하여 하시며 너를 잠잠히 사랑하시며 너로 인하여 즐거이 부르며 기뻐하시리라 하리라"(습3:17).*

스바냐 3장 17절을 배경으로 만든 복음성가를 오랜만에 불렀습니다. 힘들고 어려울 때 즐겨 부르던 찬양을 다시 들으면서 마음이 뜨거워졌습니다.

내 모습을 뒤돌아볼 때 나는 아무것도 아닌 보잘것없는 존재지만, 하나님께서는 나 때문에 독생자 예수 그리스도를 보내셔서 십자가에서 죽게 하시고 나를 구원해 주셨습니다. 그 감사가 항상 내 안에 있습니다.

하나님께서 나로 인하여 기쁨을 이기지 못합니다.

내 모습이 어떠할지라도 내가 하나님의 기쁨이 된다는 사실에 감격합니다. 하나님께서는 기쁨을 이기지 못하여 잠잠히 사랑하고 계십니다.

내가 이룬 것이 없더라도 그것으로 판단하지 않고, 내가 존재하는 그 자체로 기뻐하시며 즐거워하십니다. 잠잠히 사랑하시는 하나님으로 내 삶은 가치가 있습니다.

나를 최고의 작품으로 만드시고 누가 뭐라 해도 너는 나의 자녀라고 부르시며 기쁨으로 즐거워하시는 하나님으로 말미암아 나는 사는 것이 즐겁습니다. 내가 헐벗어도, 못 먹어도, 불구가 되어도, 다치더라도, 남에게 손가락질 당해도, 전능하신 하나님께서 나와 함께하시고, 나를 기뻐하시고, 나를 잠잠히 사랑하신다는 사실에 나는 무척이나 살맛이 납니다.

경제가 어렵고 사는 일이 팍팍하고 노년이 걱정되며 정치가 혼란스럽다고 하지만 나는 절망하거나 낙심할 수 없습니다. 그런 어려움 때문에 전능하신 하나님을 더욱 기대하고 나를 사랑해 주시는 하나님을 찾고, 도와주시는 하나님으로 말미암아 기쁨이 절로 납니다.

게임만 하는 자녀 때문에, 잔소리하는 아내 때문에, 힘든 회사 일 때문에 오히려 감사를 찾습니다. 무덤에 있는 사람에게는 문제가 없다고 합니다. 문제가 있고 어려움이 있다는 것은 내가 살아 있기 때문입니다. 살아 있으므로 하나님께서 다양한 경험을 주시는 것입니다.

다양한 인생을 살면서 세밀한 하나님의 도움을 느낀다면 삶이 얼마나 행복할까요. 삶의 행복은 멀리 있지 않습니다. 전능하신 하나님이 나로 인하여 기뻐하시고, 기쁨을 이기지 못해 잠잠히 사랑하시고, 즐거이 부르며 기뻐하시니 그것 하나로 삶은 행복합니다.

우리는 신앙생활 하면서 구원에 감사하고 기쁨으로 충성하고 뜨겁게 예배드리고 꿀송이처럼 단 하나님 말씀을 듣습니다. 그렇게 행복합니다. 하지만 시간이 지날수록 그 마음이 약해지고 육신의 욕심이 생깁니다. 욕심은 죄를 낳습니다(약1:15). 죄 때문에 거룩하신 하나님과 관계가 막힙니다. 그래서 행복이 사라집니다. 하나님이 우리와 함께 계셔야 행복하기 때문입니다.

내가 욕심을 버린다면 나는 언제 어디서나 행복할 수 있습니다. 나를 잠잠히 사랑하시는 하나님께서 함께하시기 때문입니다. 나로 인해 기쁨을 이기지 못하시고 즐거워하시는 참 좋은 하나님이 계시기 때문입니다. 나를 최고의 걸작품으로 만드시고 어떤 처지에서도 나를 사랑하시는 하나님, 나로 인하여 즐거워하시는 하나님으로 말미암아 나는 오히려 몸 둘 바 모르게 행복합니다. 그래서 나는 오늘도 하나님으로 인해 욕심을 버립니다.

## 꿈을 실현하는 사회로

대학수학능력시험일이 11월 7일로 다가왔다. 다행히 예년과 같은 수능 한파는 없다고 한다.

고교 교육과정 3년을 성실하게 마친 학생들이 대학입시를 향한 마지막 과정을 동시에 치른다. 국가적인 행사이기에 관공서와 기업체는 1시간 늦게 출근하고 대중교통수단은 시험 시작 전 증편하여 운행한다.

수험생뿐만 아니라 일 년 내내 고3병을 함께한 학부모와 모든 가족에게 중요한 날이다. 부모들은 이날 온종일 마음을 졸이며 자녀들이 우수한 성적을 받길 기도한다. 수능 성적으로 대학이 정해지기 때문이다. 학교에 따라 논술평가를 추가로 보지만 수능성적이 우선적인 잣대다.

며칠 남지 않은 수능을 대비해 지금 학생들이 할 일은 많지 않다. 새로운 지식을 쌓아 올리기보다 기존에 익힌 내용이 잘 생각나게 머리를 비워야 한다. 정리정돈을 해야 한다. 또 세심한 부분을 보는 공부보다 전체적인 틀을 중심으로 흐름을 살펴야 한다. 문제가 어디에서 나오든 자신 있게 풀어야 한다. 처음 보는 유형이라도 어느 부분에서 나왔는지 생각해 보고 문제 의도를 파악해 해결책을 찾는 자신감을 지녀야 한다.

수능을 마치고 결과가 나왔을 때는 평소보다 점수가 낮게 나오더라도 이미 수능이라는 절차를 끝냈으니 다음을 챙겨야 한다. 꿈에 닿으려면 어느 대학에 가고 어느 학과에 가야 하느냐를 결정하는 일이 더 중요하기 때문이다.

학부모 역시 수능이 끝났다고 지금까지 유지한 긴장에서 벗어나 자녀를 내버려 둬서는 안 된다. 수능은 말 그대로 대학수학능력시험이기 때문에 대학 교육과정을 시작할 준비를 했는지 판단하는 관문일 뿐이다. 자녀가 어느 대학에 갈 것인지 어느 학과에 갈 것인지 생각하고 준비할 수 있게 지도해야 한다.

구체적으로 말하면 자녀가 잘하는 분야를 파악해 꿈에 도달하는 방향으로 인도해야 한다. 학부모 자신이 못다 한 꿈이 아닌 자녀가 바라는 꿈을 향해 투자해야 한다. 주변에 아는 선생님이나 선배들을 많이 만나 인생의 조언을 듣게 하는 것도 좋다. 또 학부모가 책에서 얻은 여러 지식으로 구체적인 대학과 학과 결정을 안내하는 것도 좋다.

학교와 지역사회에서는 학생들이 올바른 선택을 할 수 있게 다양한 프로그램을 제공해야 한다. 스스로 공부할 능력이 없는 학생들에게는 자기주도학습 프로그램을 제공하고, 대학이 아닌 다양한 직업교육을 원하는 학생들에게는 취업, 창업 교육 프로그램을 소개해야 한다.

교회에서는 신앙생활 지도와 아울러 학업과 취업을 대비한 각종 프로그램을 운영하는 것도 좋을 것이다.

저출산 고령화 사회에서 인구는 한 나라를 지탱할 중요한 구성요소다. 우리 자녀가 나라에 필요한 일꾼으로 성장해야 우리나라 앞날이 밝다. 학교에 가서 공부하고 연구하여 학자의 길을 가든, 사회에 나가 취업을 하든 모두 중요한 일꾼이다.

자녀가 적성과 소질에 따라 직업을 선택하고 사회에 이바지함으로써 보람을 얻게 해야 한다. 자기에게 주어진 달란트를 발휘하여 이 땅에 태어난 목적을 달성하는 삶이 성공한 인생이다.

우리 사회가 수능과 대학보다는 일꾼을 어떻게 세울지에 관심을 두고 집중하기를 원한다. 대학이든 직업 현장이든 당당하게 자기가 원하는 꿈을 실현할 수 있는 사회로 변모하길 기대한다.

## 주님처럼 섬긴 한 해였는지…

한 해 끝자락입니다. 화창한 봄, 무더운 여름, 풍성한 가을이 지나고, 어느덧 흰 눈 내려 쌓이는 겨울이 우리 앞에 성큼 다가왔습니다. 한 해를 지나는 동안 하루하루가 다 바쁜 날 뿐이었습니다. 하지만 뒤돌아보면 별것 아닌데도 몹시 분주하게 종종걸음으로 뛰어다녔고, 큰일이 난 것처럼 행동한 적도 있습니다. '내가 주위 사람들을 너무 힘들게 했구나!' 하는 회한도 생깁니다.

나 때문에 상처받아 아파한 사람들이 있다면, 그들의 마음을 어루만져 주고 싶습니다. 내가 무심코 내뱉은 말에 상처 입은 사람이 있다면 용서를 구하고 싶습니다.

분위기를 돋우려고 농담으로 한 말이었는데 불쾌감이 든 분이 있다면 사죄하고 싶습니다. 또 내 도움과 따스한 관심이 필요한 사람들이 주위에 있었지만, 그것을 깨닫지 못한 채 분주히 지나치기도 했습니다. 그런 분께도 용서를 구하고 싶습니다. 나 자신이 인식하지 못한 사이에도 타인에게 갈등을 안겨 주니 하루하루 정말 정신 차려 살아야겠습니다.

주위의 이야기를 들어보면 갈수록 살맛 나는 '사랑'이 없다고 말합니다. 하지만 사랑이 없는 각박한 사회일수록 더욱 사랑을 찾게 됩니다. 연인과 나누는 사랑, 가족과 나누는 사랑, 친구와 나누는 우정, 더 나아가 예수 그리스도의 십자가 사랑을 찾게 됩니다.

사랑하면 모든 문제가 풀립니다. 사랑하면 모든 것이 아름답게 보입니다. 사랑하는 이가 말하는 소리를 듣고 싶고, 사랑하는 이가 원하는 것이라면 무엇이든 다 해 주고 싶습니다. 내게 사랑을 고백한 글이라면 수십 번을 읽어도 좋습니다. 사랑하는 이를 생각만 해도 웃음이 나오고, 온종일 보고도 또 보고 싶습니다. 남에게 욕을 먹어도, 직장에서 힘든 일이 있어도, 비록 저녁에 끼닛거리가 없어도 사랑하는 사람이 있는 것만으로 행복합니다. 그 사랑이 우리 인생을 행복하게 합니다.

만약 누군가에게 갚을 수 없는 큰 은혜를 받았다면, 그런 상대를 사랑하는 것은 더더욱 행복한 일입니다. 내게 베푼 그 사랑이 내가 살아갈 이유가 됩니다.

엄동설한에도 그런 사랑하는 분이 만나자면 기쁜 마음으로 외출할 수도 있습니다.

우리가 이 세상에 태어날 때 부모가 계셔서 늘 진자리 마른자리 갈아 뉘시고 건강하게 자라게 돌봐 주셔서 지금까지 살아왔습니다. 그 은혜가 높고 크기에 부모님을 사랑하지 않을 수 없습니다. 인생을 창조한 하나님이 계셔서 천지 만물을 주고 살아갈 조건을 만들어주셨으니 고맙고 감사합니다. 우리 조상 아담이 죄를 범했을 때에는 한없는 부모의 사랑으로 구원의 길을 열어 주셨습니다. 마침내 독생자 예수 그리스도를 보내 우리의 모든 죗값을 치르려고 십자가에 피 흘려 죽이기까지 사랑으로 섬겨 주셨습니다. 사랑받은 우리가 할 일은 오직 사랑하는 일입니다.

어느덧 올 한 해가 저물어 갑니다. 주님을 사랑함으로 이웃을 주님처럼 섬기는 성도가 되었는지 돌아봅니다. 주님을 사랑함으로 주님이 좋아하시는 일만 했는지 돌아봅니다. 주님을 사랑함으로 이웃의 어려운 형제자매를 섬기며 내가 받은 예수 사랑을 전했는지 돌아보며 더욱 주님의 사랑을 실천하며 살아가기를 소망해 봅니다.

## 인생에도 퇴고가 필요해요

　어떤 사건을 글로 쓸 때는 육하원칙에 따라 알기 쉽게 기록해야 합니다. 언제, 어디서, 누가, 무엇을, 어떻게, 왜 했는지, 순서는 조금 다르더라도 내용이 다 들어 있어야 합니다. 그렇게 썼다 하더라도 누가 보느냐에 따라 내용을 바꾸어야 합니다.

　언제 보느냐에 따라서도 내용이 변할 수 있습니다. 나아가 상황이 변하면 또 내용이 바뀌어야 합니다. 나는 잘 작성했다고 하더라도 거기에 만족하지 말고 계속 검토해야 합니다.

　적당한 단어가 선택되었는지, 빠진 내용은 없는지, 글의 형태는 예쁘게 잘 되었는지 여러 가지를 생각해야 합니다. 누가 언제 볼 것인지, 중요하게 여기는 문제점이 제대로 표현되었는지 검토할수록 그 글은 더욱 좋은 글이 됩니다. 처음 작성한 것과 비교해 보면 확실히 차이를 알 수 있습니다.

　삶에도 늘 돌아보는 일이 필요합니다. 시편에는 "주께서 죄악을 감찰하실진대 주여 누가 서리이까 그러나 사유하심이 주께 있음은 주를 경외케 하심이니이다"(시130:3~4)라고 기록하고 있습니다.

　주님 앞에 우리는 모두 죄인입니다. 아무도 피할 자가 없습니다. 우리 모두의 행위는 죄악

가운데 있습니다. 주님의 자비를 구해야만 합니다. 그때 우리는 우리 자신을 더욱 세밀하게 돌아보아야 합니다. 긍휼이 풍성한 주님 앞에 우리의 죄악을 늘 고백해야 합니다. 늘 회개해야 합니다.

신앙생활은 하나님께서 나를 만드신 이유를 깨닫고 내가 어떻게 살아갈 것인지를 알아 하나님의 말씀에 비추어 나를 만들어 가는 과정입니다. 말세에 들림받을 자격 있는 신부가 입을 깨끗한 세마포는 성도의 옳은 행실이라고 했습니다(계19:8).

옳은 행실로 내가 입을 옷을 만들어 갑니다. 나의 행동이 올바른지 늘 돌아보아야 합니다. 세상의 가치관으로 내 모습을 보면서 나를 돌아볼 것이 아니라 성경에서 하나님께서 말씀하시는 기준으로 나를 돌아보아야 합니다.

*"항상 기뻐하라 쉬지말고 기도하라 범사에 감사하라 이는 그리스도 예수 안에서 너희를 향하신 하나님의 뜻이니라"(살전5:16~18).*

내게 기뻐할 조건이 늘 있지 않더라도 말씀에 의지하여 돌아보면 그 속에서도 기뻐할 일이 생각납니다.

지금은 안 보여도 다시 돌아보면 찾을 수 있습니다. 늘 있었기에 의식하지 못한 행복을 찾을 수 있습니다. 하나님께서 주시는 기쁨을 찾을 수 있습니다.

쉬지 말고 기도하라고 말씀하신 것은 늘 나를 괴롭히는 마귀의 존재를 아시기에 이길 힘을 달라고 기도하라는 당부입니다. 내 힘으로 살 수 없는 세상에서 나를 도와주겠다는 하나님의 사랑을 깨닫고 기도하면 살아갈 힘이 생깁니다.

모든 범사에 감사할 일을 줄 테니 감사하며 살라고 말씀하십니다. 내 눈으로 보면 감사할 일이 없는 것 같지만, 다시 돌아보면 감사할 일이 지천에 깔려 있습니다.

하나님이 함께하시니 감사뿐입니다.

오늘 하루가 내게 주어진 것을 감사하며 시작합니다.

오늘은 어제 죽은 사람이 그렇게 바라던 한 날이 시작된 기쁜 날입니다. 하나님께서 숨 쉴 수 있게 하셨기에 오늘 하루도 내가 살아갈 수 있습니다.

하나님께서 살아가도록 주신 목숨을 가지고 기뻐하며 기도하고 감사하며 살아야 합니다.

하루를 마감하면 잘못 산 부분을 돌아보고 더 나은 인생으로 나를 만들 것을 다짐하고 하나님의 은혜로 살았음에 감사하며 깊은 잠에 들 때 하루의 피곤도 말끔히 씻겨 나갈 것입니다.

*"한 날 괴로움은 그 날에 족하니라"*(마6:34).

## 잃어버린 열정을 찾을 때

한 해 끝자락에 서면, 지난날을 돌아보게 됩니다. 특별히 기념할 만한 날이 와도 힘겹게 달려온 날들을 떠올리게 되고요. 우리 교회에는 교회 구석구석에 수많은 성도의 충성이 배어 있습니다. 지금껏 인도하신 하나님께 감사하게 됩니다. 우리 교회의 현재가 있기까지 수많은 일거리가 있었고 그때마다 하나님께서 보내 주신 사람들이 주님의 사역을 담당했습니다. 그들의 수고가 생각나고, 그들의 땀방울이 그리워집니다.

노량진성전 시절, 주일 예배를 마치면 모든 성도는 식당과 교육관 앞뒤 마당에서 함께 식사했습니다. 식사 당번인 여전도회원들은 아침 일찍 밥, 반찬, 국을 마련해 둡니다. 배식은 식당 주변 곳곳에서 해서 여기저기 길게 줄선 기억이 납니다.

자녀를 둔 부모들은 아이들 챙기랴, 어르신들을 대접하랴 밥이 입으로 들어가는지 코로 들어가는지 모를 정도로 정신이 없었습니다.

중식 시간이 지나면 산처럼 쌓인 식판을 씻어야 합니다. 젊은 남전도회원들이 팔을 걷어붙이고 나섭니다.

어느 때는 그날 교회 온 새가족들도 분위기에 휩싸여 열심히 그릇을 닦습니다. 식당 뒷마당 풍경에 낯설어 하면서도 기쁘게 참여합니다. 충성하느라 점심을 늦게 먹은 충성자들은 서로 격려하며 성도 간에 정을 나눕니다. 한솥밥 먹는 식구의 뜨거운 사랑을 만납니다.

이후 남.여전도회 회원들은 회장이나 임원의 가정에 가서 성도 간의 교제를 나누고, 성경을 함께 읽고 합심해서 서로 중보하고 성령 충만해져서 저녁예배를 드리러 옵니다.

수양관에서 성회를 하면 회원들이 너나 할 것 없이 당연히 가서 충성하는 줄 알았습니다. 그렇게 주의 일에 열심을 낸 많은 신앙의 선배가 있었기에 오늘의 우리 교회가 있습니다. 애타는 주님 심정을 갖고 주님의 일이 잘못되지 않기를 노심초사하며 기도하면서 고생을 무릅쓰고 하늘나라 면류관을 바라보며 충성했습니다.

그저 되는 일은 하나도 없습니다. 누군가 흘린 수고의 땀방울이 묻어 있습니다. 하나님의 사랑하심이 있고, 사랑받은 성도들의 피땀이 녹아 있습니다. 오늘날 우리 주변을 돌아보면 그저 편하게 신앙생활 하려는 사람들이 보입니다. 힘들고 어려운 상황에서도 믿음을 지키고 충성한 신앙 선배들과 비교해 볼 때, 그렇게 편히 살다가 과연 하늘에 상이 있을까 염려됩니다.

주일에 식당에서 설거지를 하면서도 기뻐하

고, 전도하면서도 기뻐하고, 남에게 핍박받으면서도 기뻐했습니다. 주님 일이라면 무엇이라도 기뻐하면서 감당한 선배들이 있었고, 그들의 피땀 어린 발자취를 따라 여기 궁동까지 우리 교회가 커 왔습니다.

요즘 "교회에 충성할 사람이 부족하다"는 말을 들으면 마음이 아픕니다. 무엇 하나 변변히 갖춰진 것 없어도 주의 일을 감당했는데, 이렇게 좋은 환경에서 충성할 사람이 없다면 주님이 얼마나 마음 아프실까 생각합니다. 또 말세가 가까이 다가왔고 때가 악하다는 사실을 절실히 느낍니다.

올 한 해도 서서히 저물어 갑니다. 나태한 자신을 반성하고 마귀에게 속은 지난날을 회개하고 새로운 열정을 찾아 냅시다.

주님은 나를 살리려고 십자가에 죽으러 이 땅에 오셨습니다. 내가 당할 모진 핍박과 아픔과 고통을 친히 담당해 죽으시고 부활하셔서 우리의 구세주가 되셨습니다. 그 사랑 앞에 주님의 일이라면 아무리 힘들어도 기뻐하며 감당하길 원합니다. 교회가 커진 만큼 주의 일은 더욱 많아집니다. 은혜받은 자답게 주의 일에 힘을 냅시다. 우리 성도 모두 하늘에서 상 받는 모습이 눈앞에 아름답게 그려집니다.

## 보이지 않는 곳에서 섬기는 따스한 손길

*눈 쌓인 추운 겨울, 골목 구석구석 살피며*
*30kg 염화칼슘 채워 넣는 따뜻한 '손길'처럼*
*한 영혼이 구원받고 믿음 안에 자라도록*
*보이지 않는 수고와 충성 교회 한가득*
*항상 감사하며 천국 소유하는 신앙생활해야*

올해 들어 한파가 연일 기승을 부리고 있습니다. 요즘은 한파주의보가 발령될 정도로 기온이 영하 10도 밑으로 뚝 떨어져 감기 환자가 늘고 있습니다. 거리에 나선 사람들은 북극 한기를 연상케 하는 칼바람을 맞아 하얀 입김을 내뿜으며 종종걸음을 칩니다.

겨울은 추워야 제맛이지만 생활이 녹록잖은 가정은 추위가 반갑지 않습니다. 가스보일러나 전기장판을 사용하는 횟수가 늘어 난방비가 많이 듭니다, 내복이며 겨울 외투도 한결 두껍게 챙겨야 합니다.

눈이라도 내리면 풍광은 멋져 보여도 길이 미끄러워 다치는 사람이 많습니다. 노약자는 미끄러져 다치면 회복이 더딥니다. 그래서 출입을 자제해야 하지만, 병원에 계속 다녀야 하는 노약자는 눈 온 뒤엔 거동이 힘겹기만 합니다.

눈이 와서 힘든 사람을 돕기 위해 동주민센

터에서는 비탈길 주변에 염화칼슘 보관상자를 마련해 뒀습니다. 삽이나 주걱을 비치해둬서 편하게 퍼갈 수 있습니다. 요즘 주민들은 눈 예보가 나오면 염화칼슘이 있는지 없는지 확인하려고 보관상자 뚜껑을 자주 열어봅니다.

동주민센터 직원들도 눈 예보가 나면 보관상자 속에 염화칼슘이 충분히 있는지 확인합니다. 그리고는 구청에서 염화칼슘을 받아와 보관상자가 있는 골목을 다니며 일일이 채워 넣습니다.

염화칼슘 한 포대는 보통 30kg 나갑니다. 장정 혼자 들기엔 버겁습니다. 보관상자에 한 포대씩만 넣는다 해도 50군데면 1500kg을 들었다 놓는 셈입니다. 차에 염화칼슘을 싣고 동네를 다니며 보관상자를 살펴봅니다. 빈 보관상자를 발견하면 좁은 골목 어딘가에 주차하고 염화칼슘 한 포대를 들고 보관상자까지 갑니다. 포대를 불끈 들어 올려 상자에 부어 넣습니다.

여직원이 하기에는 쉽지 않습니다. 동주민센터 직원 대부분이 여성이다 보니 얼마 안 되는 남성 직원들이 수고를 떠안습니다.

스쳐 지나가면서 보는 동네 비탈길의 염화칼슘 보관상자에는 이처럼 보이지 않는 수고의 손길이 함께합니다.

신앙생활에도 믿음이 성장하도록 도와주는

수많은 손길이 있습니다. 예배실원은 예배 질서를 지키기 위해 수고합니다. 차량실원은 차량을 안전하게 주·정차하도록 이른 아침부터 늦은 밤까지 칼바람을 맞으며 주차관리를 합니다. 또 멀리까지 운행을 합니다. 화장실, 자모실, 각 예배실 등을 쓸고 닦는 수많은 충성자가 있습니다. 목사님은 성도들을 위해 기도하고, 하나님 말씀을 전하고, 심방하며 목양에 전력합니다. 하나님의 아들은 육신을 입고 이 땅에 오셔서 십자가에 못박혀 피 흘려 죽기까지 우리를 죄에서 저주에서 지옥에서 구원하셨습니다. 이처럼 보이지 않는 수고와 충성에 항상 감사하며 신앙생활에 매진해 천국을 소유합시다.

# 한 해의 아름다운 매듭

*은혜로 시작한 한 해 감사로 마무리해야*
*우리 교회 모든 성도가*
*대신·대물·대인 관계 잘 결산해*
*하나님과 막힘 없이 새해 맞이하길*

　우리 교회는 12월부터 회계연도를 시작합니다. 그래서 11월이 되면 한 해를 결산하고, 보통 11월 말에 다음 해 조직을 발표하고 임원을 임명합니다. 연초에 겪을 법한 어수선함 없이 12월부터 이미 새 체계를 갖춰 주의 사역을 시작합니다. 주정예물도 11월 말에 작정하여, 12월부터 새 봉투에 예물을 드립니다.
　1월부터 열리는 수양관 동계성회도 새 조직을 한발 앞서 준비한 덕분에 무리 없이 진행할 수 있습니다.
　우리 성도는 11월에 한 해의 대신(對神), 대물(對物), 대인(對人) 관계를 잘 마무리해야 합니다. 개인이든 기관 내에서든 하나님과 약속한 내용을 아름답게 이루도록 힘써야 합니다. 한 해 결산과 새해 결심을 앞두고 자기 나름대로 한 해를 돌아보아야 합니다.
　우리는 먼저 하나님과 맺은 관계(대신 관계)를 잘 갈무리해야 합니다. 하나님께서는 우리를 죄와 저주와 지옥에서 구원하시려고 독생자 예수 그리스도를 십자가에 피 흘려 죽게 하셨습니다. 우리 교회 성도 누구나 새해 시작할 때 하나님의 그 크신 사랑에 감사해 기도하고 전도하고 찬양하고 예배드리겠다고 하나님께 약속했습니다. 한 해 동안 신앙생활하면서 불충한 부분을 찾아 회개하고 구원받은 기쁨을 회복하고 예수님을 뜨겁게 만났던 처음 사랑으로 돌아가야 이는 좋은 마무리를 짓습니다.

또 우리는 대물 관계를 잘 매듭지어야 합니다. 한 해 동안 받은 은혜에 감사해 드리겠다고 작정한 예물을 완납하는 일은 대신 관계와 대물 관계의 마무리입니다. 사사로운 욕심 탓에 아까운 마음이 들어 작정 예물을 다 드리지 못하면 하나님께 한 약속을 부도내는 것뿐 아니라 물질을 소유하고 정복할 사람으로서 자격 없는 행동입니다.

마지막으로 이웃과의 관계(대인 관계)를 막힘없이 마무리해야 합니다. 상처 주고 힘들게 하고 시험 들게 한 사람이 있다면 회개하고 잘못을 빌고 화해해 하나님께서 아들의 피로 값 주고 사서 극진히 사랑한 형제와 연합해야 합니다. 자기 자신은 상처 준 줄 모르지만, 혹시 자신 때문에 마음 아파하는 교우가 있다면 찾아가서 돌아보고 용서를 구하여 주님 사랑을 실천해야 합니다. 또 내 마음에 아직도 싫어하는 사람이 있다면 찾아가 화해를 청하고 주님 사랑을 나눠야 합니다. 이것이 대신 관계와 대인 관계의 중요한 마무리입니다.

한 해가 끝을 향해 달려갑니다. 한 해에 주님 일에 어떻게 충성했는지 돌아보기를 원합니다. 직분자라면 소속 기관에서 맡은 바 역할에 따라 무슨 일을 했는지, 새해에는 어떤 점을 주의해야 하는지, 어떻게 개선하면 좋을지 세밀하게 사업을 정리해 본다면 향후 훨씬 크고 좋은 열매를 맺을 수 있습니다.

한 해 시작을 주님 은혜로 했으니 주님께 감사하며 마무리해야 합니다. 대신·대물·대인 관계의 마무리는 신앙생활을 결산하는 데 꼭 필요한 절차입니다. 이런 과정이 차곡차곡 쌓여 하늘나라의 신령한 작품이 됩니다. "네가 죽도록 충성하라 그리하면 내가 생명의 면류관을 네게 주리라"(계2:10). 약속하신 주님 앞에 매해 아름다운 마무리로 튼실한 매듭을 만들어 우리 모두 든든한 주님의 일꾼이 되길 소망합니다.

## 내 잘못으로 얼마나 많은 사람이 떠나갔나요

*용서하고 사랑으로 섬기겠습니다*
*떠나간 이들이여, 돌아오소서!*

　얼마나 많은 사람이 떠나갔나요? 직장에서는 연말이 되면 인사이동이 있어서 떠나는 사람이 많습니다. 일하다가 사람에게 상처를 받거나 일이 너무 힘들면 스트레스를 못 이겨 다른 곳으로 갑니다. 특히 교회처럼 무보수로 일하는 곳이라면, '여기 말고 다른 곳도 많은데…' 하면서 새로운 곳을 찾아갑니다.

　이런 일을 막기 위해 다양한 혜택을 주고 마음 편하게 일할 분위기를 조성해 주려고 애를 씁니다.

　처음 출발할 때는 여러 가지 생각을 합니다. 이곳에서 무슨 일을 하고 싶다, 어떻게 생활하고 싶다고 부푼 꿈을 안고 시작했지만, 막상 해 보니 생각보다 너무 힘들다고 느끼면 마음이 흔들립니다. 하지만 교회나 세상이나 힘들지 않은 일은 없습니다. 무슨 일이든 보람 있는 일이란, 힘들여 노력해 어려움 속에서 거둔 결실입니다.

　수없이 어려운 과정을 거쳐 어떤 사업을 이루었을 때의 즐거움은 이루 말할 수 없습니다. 세월이 지나도 그때를 기억하면 저절로 웃음이 나오고, 사업 결과물을 보면서 그 일을 해냈다는 성취감에 가슴이 벅찹니다. 먼 훗날 그곳을 방문했을 때 지금 있는 사람들에게 지난날 역사나 에피소드를 말해줄 때 흥분을 감출 수 없습니다. 힘든 시간을 보낸 만큼 자부심도 대단합니다. 이것이 사업을 마친 자가 누리는 기쁨입니다.

조직을 떠나는 사람들의 마음을 우리는 얼마나 알까요? 그가 당한 아픔과 고통을 이해해야 합니다. 그리고 아픔과 고통이 계속되지 않도록 조직을 바꾸어 가야 합니다. 꿈을 안고 찾아온 이들을 떠날 수밖에 없게 한 책임을 누가 져야 합니까. 그들이 맡은 바 일을 훌륭히 마치고 보람을 느끼게 해 주어야 하는데, 그렇지 못한 책임은 함께 일한 사람들이 모두 느껴야 합니다. 이웃, 동료의 아픔과 눈물을 품고 같이 기도해야 합니다. 떠나게 한 사정을 알고 이기도록 함께 기도해야 합니다. 우리의 잘못된 부분을 깨닫고 고쳐 나가야 합니다. 서로 돌아보지 못한 잘못을 회개하고 서로를 위해서 기도해야 합니다.

얼마나 많은 사람이 떠나갔는지 모릅니다. 내 잘못 때문에 떠나갔습니다. 나는 알지 못하지만, 나로 인해 상처받고 아파하며 떠나간 이웃에게 용서를 구해 봅니다. 용서하고 잃어버린 꿈을 이루는 데 함께하길 원합니다. 수많은 영혼을 살리는 데 함께하기를 원합니다. 주님의 사랑으로 영혼을 섬기는 데 함께하기를 원합니다. 서로 잘못을 용서하고 사랑으로 하나되어 주님 주신 지상명령을 이루는 데 함께하기를 원합니다. 잃어버린 영혼을 찾기 위해 오신 주님처럼, 떠나간 영혼들을 찾기를 원합니다. 사랑으로 섬기겠습니다. 떠나간 이들이여, 돌아오소서.

# 새해에는 쉬지 말고 기도하자

*오스카 와일드는 소설『지옥의 단편』에서*
*감사가 없는 마음이 불행의 시작이라고 주장*
*예수님의 보혈로 회개하고 천국 가는 은혜를*
*무효로 만드는 어리석은 자가 되지 않기를*

우리에게 단편소설『행복한 왕자』로 잘 알려진 오스카 와일드가 쓴『지옥의 단편』을 보면 흥미로운 이야기가 나옵니다.

하루는 예수님께서 길에서 주정꾼을 만났습니다. 자세히 보니 예전에 절름발이였을 때 고쳐 주었던 사람이었습니다. "네가 절름발이였을 때 내가 고쳐 주었는데 어떻게 이렇게 사느냐"고 안타깝게 물으십니다. 그러자 주정꾼이 "다리는 고쳐 주셨지만 걸어 다닌들 무슨 소용이 있습니까? 직장을 얻을 수 없어 홧김에 술을 계속 먹었습니다"라고 투덜댑니다.

이어 길을 가다가 깡패가 사람을 때리는 모습도 보셨습니다. 깡패가 예수님을 알아보고 눈을 험악하게 뜬 채 말합니다. "예수님! 저는 본래 앞 못 보는 소경이었지만, 예수님께서 고쳐 주셨지요. 그런데 보면 무엇합니까? 온 세상이 다 썩은걸요. 그래서 화풀이하듯 닥치는 대로 부수고 때리고 살아갑니다."

오스카 와일드는 이 작품에서 받은 은혜에

대한 감사의 부재가 지옥의 출발점이라고 주장합니다. 감사가 없는 마음이 불행의 서식지입니다. 감사가 없는 곳이 지옥입니다.

죄 아래 살다 지옥에서 영원히 고통받을 인류를 구원하시려고 하나님께서는 독생자 예수를 이 땅에 보내셔서 십자가에 매달아 죽이기까지 하셨습니다. 하나뿐인 아들을 내어 주시기까지 은혜를 베풀어 주셨으니 구원받은 자들은 항상 기뻐해야 합니다. 무엇에든지 감사해야 합니다. 좋은 일은 물론이고 나쁜 일에도 내가 모르는 하나님의 섭리가 있음을 알고 감사하는 자에게 하나님의 축복이 임합니다.

이 소설에 나오는 절름발이나 소경은 감사와 기쁨을 잊어버려 어찌 보면 예전보다 못한 비참한 삶을 살게 되었습니다. 예수님의 보혈로 회개하고 천국 가는 은혜를 무효로 만드는 어리석은 자가 된 것입니다.

감사와 기쁨을 잊지 않기 위해 해야 할 제일 중요한 일은 쉬지 말고 기도하는 것입니다. 마귀는 우는 사자같이 삼킬 자를 찾아 우리에게 시기, 질투, 원망, 불평, 불만하게 만듭니다. 육신을 입고 있는 이상 우리는 마귀를 이길 힘이 없으므로 마귀를 멸하려고 오셔서 마귀를 이기신 예수의 이름으로 기도해야 합니다. 기도하고 성령 충만해야 우리를 신앙에서 떼어 놓으려는 마귀를 대적할 수 있습니다. 육신의 소욕 탓에 일어나는 매일매일의 죄를 기도로 회개하고 지금 죽어도 천국 갈 믿음의 사람으로 나를 만들어야 합니다.

"항상 기뻐하라 쉬지 말고 기도하라 범사에 감사하라 이는 그리스도 예수 안에서 너희를 향하신 하나님의 뜻이니라"(살전5:16~18).

새해에는 항상 기뻐하고 쉬지 말고 기도하고 늘 감사하여, 말세를 슬기롭게 헤쳐 나가 영원한 천국에서 우리 모두 만나기를 소망합니다.

Part 5

# 책읽고 서평을

## 썼어요

## 공부도 자각이 중요하다

『나는 하나님의 가능성이고 싶다』
조현영 著 | 두란노,

   이 책은 저자가 체험을 통해 익힌 공부를 잘하게 하는 생활습관을 중심으로 10계명 학습법을 소개하고 있다. 가장 중요한 것이 동기부여다. 하나님의 영광을 위해 무엇이 되고자 하는 목표를 세우고 구체적인 계획을 세워서 꾸준히 실천하면 하나님께서 채워주신다는 믿음이다.

   이런 전제 조건 속에서 자기만의 공부 계획을 세우고 집중력을 길러서 시간을 정복하고 잠도 다스리고 잘 먹고 잘 기억하며 실천할 때, 간절히 원하던 목표에 어느새 가까이 다가설 수 있게 된다.

   이번 책은 기독교 신앙에 바탕을 둔 경험담을 많이 소개하고 강조한다. 평소에 생각하던 바와 많이 비슷해서 공감하며 이 책을 읽었다. 자녀를 교육할 때 사교육에 신경 쓰지 말고 건강하게 잘 길러 본인이 하나님의 영광을 위해 쓰임받고 싶다는 자각이 생길 때를 기다려야 한다. 영향력 있는 사람으로 자라고자 하는 동기부여가 되었을 그때 스스로 공부할 수 있도록 도와야 한다.

이 책의 저자도 평범한 학생이었고 음악과 춤을 좋아한 열등생이었지만, 공부하겠다는 각오가 생기면서 하나님의 영광을 위해 살고자 애쓴 결과 세계적 명문 스탠포드대학에 전액 장학생으로 입학했다. 우리 자녀들에게 올바른 동기를 부여하고, 자기가 하고 싶은 일을 선택할 수 있도록 안내하는 것이 우리 부모의 역할이 아닐까 하고 다시 한번 생각해 본다.

# 진정한 부자가 되는 길

『행복한 부자를 위한 5가지 원칙』
김동호 著 /청림출판사

　책 제목에 '행복'과 '부자(富者)'라는 말이 나와 관심을 끌지만, 주요 내용은 하나님의 말씀을 잘 지키며 천국의 소망을 지니고 영혼의 때를 준비하는 삶이 어떠해야 하는지를 돈을 소재로 말하고 있다. 김동호 목사는 높은뜻 숭의교회 담임목사를 역임한 뒤, 현재는 더 좋은 세상을 만드는 사단법인 피피엘의 대표로 섬기고 있다.

　제목에서 말하는 행복한 부자를 위한 5가지 원칙은 다음과 같다.

　제1원칙: 돈에 매여 살지 말고 돈을 지배하며 살아라.

　제2원칙: 정직은 신용이 되고 신용은 돈이 된다.

　제3원칙: 깨끗한 빈자가 아닌 깨끗한 부자로 살아라.

　제4원칙: 내가 벌었다고 다 내 돈이 아니다.

　제5원칙: 진정한 삶의 행복은 소유가 아니라 존재가 결정한다.

　우리는 돈 많은 사람을 무조건 '잘사는 사람'이라고 하고 돈이 없는 사람을 '못 사는 사람'이라고 이야기하지만, 이것만큼 잘못된 말도 없다. 돈의 많고 적음만 가지고 잘살고 못사는 것을 논해서는 안 된다. 가난하게 살더라도 정직하게 사는 것이 옳은 일이다. 부자로 사는 것이 잘사는 것이 아니라 정직하고 바르게 사는 것이 잘사는 것이라는 것을 잊어서는 안 된다고 저자는 말한다.

손이 수고하지 않고 횡재하는 것을 사람들은 복(福)이라고 생각하지만, 그것은 사실 복이 아니라 화(禍)가 되는 예가 잦다. 손이 수고한 대로 먹는 것, 그것이 건강한 축복이라는 것을 조금만 생각해 보면 알 수 있다(시128:1~2).

세상 사람들은 청빈(淸貧)을 가장 숭고한 삶이라고 받아들인다. 그러나 기독교에서는 청부(淸富)를 더 숭고하고 가치 있는 삶으로 받아들인다. 기독교에서는 열심히 세상에 나가 장사하여 이윤을 남긴 두 달란트 맡은 자와 다섯 달란트 맡은 자를 착하고 충성된 종이라고 칭찬한다(마25:14~30).

사도 바울은 부유한 데도 처할 줄 알고 비천한 데도 처할 줄 알아 언제나 자족할 줄 아는 시경에 이르게 되었다는 고백을 한 적이 있다. 겸손한 부와 당당한 가난, 그것이 바로 부한 데도 처할 줄 아는 것 그리고 비천한 데도 처할 줄 아는 것이다.

우리들의 문제는 돈을 우상화하는 것이다.

돈에 인생과 행복을 걸고 사는 것이다. 이제 돈을 돈의 자리로 돌려보내야 한다. 그리고 돈보다 가치 있고 의미 있는 것들을 찾아내야 하고 그것을 제자리로 회복해야 한다. 그리고 우리 삶의 중심과 무게를 돈보다 더 가치 있는 것으로 옮기는 훈련을 해야만 한다.

목표를 세우고 노력하고 기도하면 돈에 매여 사는 인생이 아닌 돈을 지배하는 인생을 살 수 있다. 우리 모두 행복한 부자, 주신 달란트를 사용하여 정직하게 유익을 남기고, 그것으로 주를 위해 마음껏 쓸 수 있는 자가 되기를 소망한다.

# 가족이 꿈을 키운 여행이야기

『온가족 세계 배낭 여행기 1~3』
이성 著/자음과모음

　저자는 서울시 고위공직자인 시정개혁단장(3급)으로 일하다가 1년 동안 무급으로 휴직한 뒤 조카를 포함한 가족 4명과 함께 45개국을 여행한다. 현재는 민선으로 3번 연임하여 구로구청장 직을 수행하고 있다.
　공직에서는 초고속 승진을 거듭했지만, 어릴 적부터 지닌 세계여행의 꿈을 포기할 수 없어 '이번에 가지 않으면 평생 가지 못하리라'는 초조함으로 당시 고건 시장에게 편지를 보내 휴직을 허락해 달라고 간곡히 부탁한 것이다.
　당시 시장단이 모인 회의에서는 논란이 많았다. 나쁜 선례가 될까 봐 부정적인 의견을 내는 이가 많았던 것이다. 하지만 "선진 사례를 배우게 하려고 돈을 투자해서 외국 유학을 보내기도 하는데, 무급으로 1년 휴직해서 전 세계 문물을 배우러 간다는 데 반대할 이유가 있느냐?"는 저자의 의견에 당시 시장인 고건 씨가 흔쾌히 휴직을 허락해주었으며, 고건 씨는 후에 이 책의 추천사까지 써주었다.
　이성 구청장은 당시 은마 아파트에 전세로 살고 있었는데 그 전세보증금으로 세계여행을 떠났다. 당시에는 세계여행 정보가 없어 세계 지도와 대륙별 지도를 줄로 긋고 항로로 삼았다. 나중에 이 여행기를 읽은 사람들이 이 항로를 따라 세계여행을 하며 표준으로 삼기도 했다고 한다.

전 3권인 여행기는 가는 길, 지출, 현지 사례, 느낀 점, 일기, 대륙을 여행하고 난 감상, 여행에 유용한 팁 등 좋은 내용이 많이 들어 있다. 우선 1권에는 중국, 인도, 아프리카 등을 소개하고, 2권에는 유럽, 3권에는 남미를 소개한다.

중국에서 겪은 인상적인 내용으로는 여성중심의 사회, 불결, 먹는 차와 담배, 놀이풍습 카드, 모조품 천국, 돈을 최고로 여기는 되놈의식 등이다. 우리는 예로부터 자연을 아름다운 것으로 여기고 거기에 조화하려 하는 데 비해 중국인은 자연은 아름답지 않은 것이기에 인간이 아름다움을 만들어야 하는 것으로 생각한다고 저자는 기록하고 있다.

인도에서는 하리잔이라는 최하층민에 대한 인종차별, 신화가 살아있는 세상, 운명론, 노예제도에 대해 말한다. 그러나 철학과 낭만 이전에 기아와 질병에 허덕이는 수억 명에 달하는 천민이 있어서 인도가 아무리 IT 산업이 발전하고 수학을 잘하는 나라라고 해도 세계인의 아픔이 될 것이라고 저자는 말하고 있다.

여행기는 다른 나라를 관찰하면서도 늘 그 중심에는 우리나라와의 비교를 담고 있다. 1권 끝에서 저자는 체면이나 영호남 갈등, 연줄 같은 오래된 관습을 벗어나 실질을 보아 늘 개선책을 찾고 서로 발전을 위해 노력하는 것이 인류문명에 기여하는 길이라고 여행의 소감을 적고 있다.

# 1960년대 태어난 이들의 공감

『아플 수도 없는 마흔이다』
이의수 著 / 한국경제신문사

'마흔 이후 남자의 생존법'이라는 문화일보 인기칼럼을 쓴 이의수 씨(남성사회문화연구소장)는 '남자의 마흔 이후 30년'을 연구해 『아플 수도 없는 마흔이다』라는 책을 냈다. 40대를 사는 내게 많은 공감이 됐다.

책은 네 부분으로 구성되어 있다. '나는 그대로인데 세상은 나에게 마흔이라 말한다'가 첫째로 나이가 꼭 마흔이 아니라 중년을 상징하는 어구로 마흔을 선택했다고 저자는 말한다. 이십 대의 젊음도 아니고 삼십 대의 출발도 아닌 그렇다고 오륙십 대의 성숙함도 없는 참 어중간한 나이가 마흔 즈음이다. 둘째는 '흔들리지 않는 나이는 없다'고 이야기하며 정신없이 바쁘게 흔들리면서 이삼십 대를 살아왔지만, 막상 중년이 되어도 여전히 흔들리는 내 모습에 자책하지 말자고 권면한다. 셋째는 '비록 힘들어도 다시 시작하니까 마흔이다'며 아버지의 정체성에 관해 이야기한다. 지금껏 느끼지 못했던 아버지의 존재를 인식하고 이제는 내가 그런 아버지가 되어야 함을 새삼스럽게 깨닫는 나이가 되었다고 말한다. 마지막은 '내 인생의 행복발전소 가족'이라고 하여 가족의 소중함을 이야기한다.

　40년을 넘게 살아온 얼굴에는 세월의 흔적이 묻어 있고, 마음은 청년 시절 그대로인데 세상은 나에게 마흔이 넘었다고 말한다. 동년배를 살펴보면 다들 잘나가는 듯이 보이고 나만 뒤처진 것같이 보일 때도 잦다. 그러나 남과 비교하지 말고 내 인생의 마라톤 경기에서 나의 페이스를 유지하면서 살아가는 것이 내가 행복한 길이다.

　그리고 마흔이라는 나이 앞에 있는 세월을 어떻게 살아가야 할지도 진지하게 생각해 보아야 할 때다. 이제부터는 포기하지 않고 차근차근 미래를 준비하는 꿈을 꾸어야 한다. 퇴직 후 짧게는 20년, 길게는 30년이라는 노후기간이 우리에게 다가온다. 생활방식과 돈에 관한 생각을 바꾸는 것으로 은퇴 준비를 시작해야 한다.

　누군가가 나이 앞에 '4'자가 들어가면 죽을 '사(死)'자를 생각해야 한다고 말했는데, 건강 관리에 신경 써야 한다. 사랑하는 이에게 아무 것이나 대집하지 않듯 내가 먹고 마시는 음식에 신경을 쓰자. 또 마지막까지 소중한 관계가 부부요 자녀들이니, 영혼의 때를 위한 육신의 이별이 아름다운 이별이 되도록 함께 있을 때 잘하는 내가 되어야 한다.

신앙의 길을 가면서 마흔 즈음의 내 인생을 뒤돌아보게 된다. 세상을 살아가면서 한편으로는 내세를 소망하며 부지런히 살아온 세월이다. 비록 세상에서는 아쉬움이 있을지라도 영원한 나라에서는 기쁨과 평안만이 가득하기를 소망한다. 이 책을 읽는 많은 중년이 세상에 대한 욕심을 버리기를 바라면서, 주어진 인생에서 내가 가야 할 길을 발견하고 영생을 준비하기를 바라며 책을 덮었다.

# 믿음은 바라는 것들의 실상

『꿈꾸는 다락방』
이지성 著 / 국일미디어

　이 책은 기독교 전도사인 저자 이지성 씨가 자료를 많이 수집하고 "생생하게 꿈꾸면 이루어진다"는

R(Realization)=V(Vivid)×D(Dream)　이론을 공식화해서 썼다.

　이 공식의 실천자인 저자는 수년간에 걸쳐 방대한 자료조사를 하고 저자 자신이 실제로 경험하여 공식의 진가를 확인하였다.

　그리고 이를 널리 알리고자 이 책을 집필했는데 저자가 생생하게 꿈꾼 대로 초(超) 베스트셀러가 되었다.

　저자는 책 앞부분에서 다음과 같은 역사적 사실을 들고 있다. 극작가 아서 로우는 1885년 『캐롤라인 호』라는 작품을 썼는데, 책 내용인즉 캐롤라인 호가 조난당하자 로버트 골딩이라는 사람이 유일하게 생존한다. 그런데 얼마 뒤 실제로 개롤라인이라는 배가 조난당했다. 그리고 생존자가 한 명 있었는데 그 이름이 바로 로버트 골딩이다.

　이런 사실 이면에 있는 믿음의 사건들, 꿈꾸는 자가 얻을 확실한 결과 등을 주 내용으로

책이 구성됐다. 저자는 성공 비결이 노력보다는 얼마나 꿈꾸느냐에 달렸다고 확신한다.

사람들이 "성공하겠다" 맹세한다고 해서 실제로 성공하지는 않는다. 또 단순히 열심히 일한다고 해서 성공하지도 않는다. 성공하려면 특별한 내면의 힘이 있어야 한다. 이미 성공한 모습을 습관적으로 마음속으로 생생하게 그려보는 것은 목표 달성에 가장 강력한 수단이 된다. 즉 성공을 시각화하면 그 이미지는 반드시 현실이 된다는 믿음이다. 이 놀라운 원리는 위대한 성공을 거둔 사람이라면 모두 알고 실천하였다.

또 이런 사실은 과학적으로도 입증된다. 인간이 무엇을 생생하게 꿈꾸면 그 에너지가 양자에게 영향을 미치고, 양자가 서서히 물질 형태로 변하는데, 인간이 포기하지 않고 끝없이 꿈꾸면 마침내 양자들이 완벽한 형태를 지닌 물질로 전환해 꿈꾼 상황이 현실로 나타난다.

현대물리학 최고봉인 양자 물리학자들이 이 사실을 발견했다.

또 저자는 행간에서 이 공식을 가장 완벽하게 실천한 인물로 예수 그리스도를 언급한다. "네 믿음대로 될지어다, 회개하고 죄 사함을 받으라, 처소를 예비하러 가노니 나 있는 곳에 너희도 있게 하리라, 천국이 너희 것이다" 등 말씀은, 꿈을 꾸게 하는 동인(動因)이 되어 믿는 자에게 믿음을 현실로 만들어 준다.

특별히 말세인 이때에 우리 성도도 천국 갈 신부 자격을 갖추려면 성경 말씀대로 성도의 옳은 행실을 행하며 살아야 한다. 그러기 위해 기쁨으로 충성해야 하는데 "믿음은 바라는 것들의 실상"(히11:1)이라는 말씀을 붙들고 끝까지 승리하기를 간절히 소망한다.

# 흘리고 다닌 10분을 담으라

『시간의 마법』
정선혜, 서영우 공저 / 21세기북스

이 책은 시간 관리와 활용법을 연구한 두 저자가 실제 성공한 경험을 토대로 시간을 효율적으로 사용하는 법을 알려준다.

시간 관리를 설명하려고 저자는 '시간의 마법'을 활용하는데, 이는 영화 『사랑의 블랙홀』에 등장하는 남자 주인공 필이 마법에 걸려 똑같은 하루가 매일 반복되는 현상을 말한다. 주인공은 자고 일어나면 내일을 맞지 못하고 매번 똑같은 하루를 반복한다. 필은 사랑할 만한 여자를 만나지만, 하루라는 시간은 사랑을 얻을 만한 시간이 안 된다고 생각해 포기한다. 그리고 어떠한 일을 벌여도 다시 초기화되는 비밀을 이용해 사회에서 통용되는 규칙을 어겨보기도 한다. 결국 매일 반복하는 삶에 회의를 느껴 자살을 시도하지만 또 다음 날 6시가 되면 늘 같은 자리에서 같은 모습으로 눈을 뜬다.

죽음마저 실패한 필은 마침내 생각을 바꾸어 사람들을 도우며 살기로 다짐한다. 어려운 처지에 있는 사람들을 돕자 고마워하며 미소 짓는 모습에서 보람과 즐거움을 느낀다. 하루 동안 벌어지는 사건 사고를 꿰고 있다가 위험에 처한 사람들을 제시간에 구하기도 한다. 차츰 필은 사람을 아끼고 사랑한다는 게 얼마나 행복한 일인지 깨닫는다.

또 주인공 필은 자신에게 온 힘을 기울이고, 언젠가부터 치고 싶었던 피아노와 얼음 조각을 배우기 시작한다. 시간은 초기화되지만, 필에게는 계속 기술이 쌓여 전문 피아니스트와 조각가처럼 실력이 발전한다. 그러면서 그동안 자신이 살아온 인생이 얼마나 무의미했는지 깨닫는다. 비록 하루인 삶이지만 자신을 위해 조금씩 투자했고, 그 결과 많은 것을 할 수 있게 된 자신을 발견한다.

이처럼 우리 삶을 되돌아보면 시간의 마법에 걸려 살아온 것을 알 수 있다. 내일은 미래지만 하룻밤 자고 나면 현재는 과거가 되고 내일이라는 미래는 현재가 된다.

오늘이 곧 내일이기 때문이다. 그러기에 가장 중요한 건 지금 이 순간이다.

저자는 조급해하지 말고 자신과 약속을 하고, 오늘 주어진 10분간 미래 자기 모습을 꿈꾸는데 노력해 보지고 제안한다. 시간의 마법을 이용할 때 하루 10분이 하루, 이틀, 일주일 사이에는 별 차이를 만들어내지 못하지만, 몇 달, 몇 년 후에 정신을 차려보면 어느새 자신이 원하던 모습을 발견하게 된다는 사실이다.

특별히 신앙생활을 하는 우리에게는 천국까지 가는 길에 수많은 유혹과 나태, 조급함이 노리고 있다. 그러나 영혼의 때를 위해 오늘 기도하고 말씀대로 살려고 충실히 노력한다면 차츰 자신이 꿈꾸던 모습으로 만들어진다. 내게 주어진 소중한 오늘을 구령의 열정을 가지고 복음 전도를 위해 산다면 그날들이 쌓여 귀하고 값진 천국의 면류관으로 내게 다가올 것이다.

# 가치가 없다면 과감히 버리라

『잡동사니로부터의 자유』
브룩스 팔머 著 / 초록물고기

참으로 많은 사람이 인생의 잡동사니로 힘들어한다. 정작 중요한 일이 무엇인지 모르고, 바쁘지만 만족 없는 부산한 인생을 살고 있다. 삶에 불필요한 잡동사니들을 버리고 행복과 성공을 부르고자 미국 최고의 잡동사니 처리 전문가인 브룩스 팔머가 지은 책을 소개한다.

『잡동사니로부터의 자유』는 10개 장으로 구성되어 있는데, 모두 잡동사니에 관한 규정을 먼저 하고 그에 관한 실증 사례들을 설명하고 있다.

저자는 우리 인생에 보탬이 되지 않는 모든 것을 잡동사니라고 말한다. 단적으로 1년 동안 한 번도 쓰지 않은 물건이 잡동사니다. 저자는 "CD나 MP3 앨범의 수를 100장이 넘지 않게 해라. 지금 정말 듣고 싶은 음악만 간직해라. 망가져서 고칠 수 없거나 고치고 싶지 않은 물건은 무엇이든 버려라" 하고 말한다. 과거가 특별했다고 착각하게 하는 물건, 그때만큼 좋은 시절이 없었다고 옛날을 그리워하게 하는 물건은 무엇이든 버리라고 권고한다. 망가져서 고칠 수 없는 것이나 고치고 싶지 않은 물건은 무엇이든 버려라. 현재 인생이 중요하다는 진리를 일깨워 주는 물건만 남기라는 것이다.

잡동사니는 물건뿐만 아니라 내면에도 존재한다. "불평불만을 자제하라. 우리가 투덜거릴 때 그것은 머릿속에 쓰레기를 주워 담는 것이나 마찬가지다. 또 우리가 지금 걱정하고 있는 일은 실제로 일어나지 않은 것들이다. 아직 일어나지도 않은 일을 내면에 쌓아 두는 것은 불필요하며 걱정과 불안이 곧 잡동사니"라는 뜻이다.

잡동사니 중독증을 치료하는 특효약은 '추후 할 일 목록'과 한판 대결을 벌이는 것이다. '할 일 목록'은 인생의 함정이다. 잡동사니는 사람들이 미래에 집착하고 몰두하도록 부추긴다. 지금 이 순간의 행복, 현재 인생을 만끽할 권리를 빼앗는다. 저자는 "할 일을 지금 당장 끝마쳐라. 지금 주어진 일에 집중하면 나중에 하려고 쌓아 두거나 마음에 짐으로 남지 않고 개운한 자세로 일할 수 있다"라고 말한다.

우리 인생에서 중요한 것은 '내가 어디에서 와서, 무엇을 하다, 어디로 갈 것인가' 하는 사실이다. 하나님께서 지으신 최고의 작품으로 태어난 우리, 살아가면서 구원받은 은혜에 감사하고 하나님께 늘 찬양을 드리고 예배하며 하나님께서 원하는 삶을 살다가 영원한 본향 천국에 갈 수 있게 나를 만들어 가야 한다.
나를 붙잡는 세상의 어떤 잡동사니에도 흔들
리지 말고 영원한 가치, 현재 내게 마음의 평
안을 주는 영적인 가치를 우선하며 살다가 하
나님께서 부르시는 날 기쁘게 이 세상에 하직
인사를 해야 한다.

　이 세상은 나그넷길이니 수많은 내적, 외적
잡동사니에 파묻히지 않는 우리 삶이 되기를
소망한다.

# 하나님과 성도를 향한 진솔한 고백

『영원토록 내 할 말, 예수』
윤석전 著 / 연세말씀사

『영원토록 내 할 말, 예수』는 윤석전 담임목사가 예수의 목소리를 전하는 목회자가 되고 싶어 교회신문 '목양일념' 코너에서 우리 교회 성도에게 전한 글을 모은 칼럼집이다.

총 4부로 구성되어 있다. '행복한 사람' '성도를 사랑하는 마음' '주님만 승리하는 신앙생활' '영원토록 내 할 말 예수'로 나눠 목회하면서 느낀 점을 말한다.

"그리스도인에게는 세 가지 눈물이 있는데, 첫째 하나님 앞에 죄를 들고 나가는 회개의 눈물, 둘째 예수 믿지 않는 자들을 바라볼 때 불쌍해서 견딜 수 없는 사랑의 눈물, 셋째 주님의 은혜를 기억할 때마다 감사해서 견딜 수 없는 감사의 눈물이다. 내 눈에서 이 세 가지 눈물이 마르지 않는 진실한 자가 되게 하소서."(p. 14~15)

칼럼집에는 예수 피로 구원받은 자로서 주님을 향한 진실한 고백이 담겨 있다.

"나는 매일 눈을 뜨면 또 하루를 주신 하나님께 감사하며 이날이 인생의 마지막인 것처럼 오늘 하루도 내게 주어진 일에 최선을 다

하며 살리라고 다짐한다."(p. 29)

"주께서 나를 쓰시고 있다는 그 감격, 그 황홀감으로 하루하루를 살고 싶다."(p. 43)

또 주의 종으로서 살아 있는 것에 대한 감사, 구원받은 기쁨을 전하는 삶에 대한 감사 고백이 넘친다.

"주님께서 나를 사랑하면 내 양을 먹이라고 하셨으니 목사는 주님을 사랑하는 한, 성도를 영원히 사랑할 수밖에 없다."(p. 57)

"성도들에게서 살아 있는 아멘 소리가 나올 수 있도록 설교에 목숨을 걸고 하나님의 말씀을 전하는 일에 전무하리라. 매일매일 하나님과 예배가 최상의 영적 잔치가 되는 우리 교회가 되길 바란다."(p. 63)

우리 교회 담임목사로서 30년을 목회해 온 목양일념이다. 주님의 사랑 때문에 성도를 사랑할 수밖에 없고, 그 정신으로 목회하고 설교 말씀을 전했다. 우리 교회 성도들도 그 설교 말씀을 듣고 "아멘" 하면서 은혜받고 영혼의 때를 위해 살면서 충성된 주님의 일꾼들로 만들어졌다.

"주님께서는 지금도 자신의 목숨을 주신 것을 아깝지 않게 생각할 만한 의리있는 자를 만나기를 원하신다."(p. 105)

신앙생활은 구원받은 기쁨으로 나를 위해 죽어 주신 주님에 대한 의리를 지키는 것이니,

결코 흔들릴 수 없고 의리를 배신할 수 없다
고 말한다.

"예수의 고난 때문에 견딜 수 없이 가슴 아
파해야 할 자가 누구인가? 또한 가장 즐거워
해야 할 자가 누구인가? 바로 구원의 은혜를
받은 우리다."(p. 161)

"예수님께서 내 죄를 위해 십자가에서 고난
당하시고 죽으시고 부활하셨다는 이 진실만을
전하는 것이 내가 해야 할 일이다."(p. 173)

영원토록 예수만 말해야 하는 이유가 바로
나를 대신해서 고난 당하신 예수 때문이요, 나
의 죄를 해결하신 예수 때문이요, 천국으로 인
도하신 예수 때문이라고 절절히 고백한다.

『영원토록 내 할 말, 예수』에는 특히 주님을
향한 사랑, 성도를 향한 사랑, 목회에 대한 사
랑, 포기할 수 없는 신앙생활에 대한 각오와
의지가 곳곳에 드러난다. 힘들 때, 아플 때,
주님 사랑이 희미해질 때마다 한결같이 전심
으로 설교하는 윤석전 담임목사의 강렬한 메
시지를 읽고 영적 생활에 승리하길 소망한다.

# 알게 모르게 저지르는 착각

『가끔은 제정신』
허태균 저(著) / 쌤앤파커스

'착각은 자유다! 그래서 행복하다. 착각을 즐겨라! 그래야 행복하다. 착각을 활용하라! 그럼 더 행복해진다.'

이 책은 착각의 메커니즘을 낱낱이 밝혀 상대방의 마음속을 들여다보는 기회를 제공한다. 또 내게 있는 착각의 가능성을 알려 주어 자기 통찰의 계기를 선사한다. 책은 5장으로 구성되어 있다.

1장 착각의 진실(내게만 그럴듯하다)편에서는, 우리가 보편적으로 지닌 확실성에 의문을 제기한다. 천동설과 지동설로 대변하는 과학적 진실의 착각을 말한다. 또 지금 아는 지식이 10년 후에는 틀릴 수 있다는 가능성을 통해 우리가 모두 착각하면서 살더라도 지금은 착각하지 않는다고 말하는 '우리'에 관해 이야기한다.

2장 착각의 효용(나를 지키려면 반드시 필요하다)편에서는, 착각이 정신건강에 좋은 몇 가지 사례를 들고 있다. 벼락을 두 번씩이나 맞고도 살아나는 행운보다 확률이 낮은 '복권'을 사는 사람들의 심리, 세계 랭킹 29위가 월드컵 4강에 들어가 심지어 우승까지도 바라는 정서 속에 깃든 심리 등, 착각과 그것이 주는 위안을 통해 착각의 순기능을 말한다.

3장 착각의 속도(깨달음보다 언제나 빠르다)편에서는, 중국 김치 파동에 얽힌 착각의 심리학을 언급하고 있다. 중국산 김치 파동이 나면 보건당국이 긴장하고 검역이 강화되어 오히려 더욱 안전한 김치가 제공된다. 그런데도 그런 뉴스로 말미암아 불안하다고 김치를 안 먹다가, 중국산 김치가 다시 수입되는 시점에 또 김치를 먹으러 가는 착각 속에 사는 우리의 심리를 살펴본다.

4장는 착각의 활용(콩깍지를 씌워라)편에서는, 착각을 생활 속에서 효과적으로 사용하는 방법을 말한다. 결혼을 앞둔 남녀에게 당부한다. 콩깍지를 서로 씌워 줘야 결혼까지 이르니 착각이 지속되도록 일관성 있게 행동하라고. 결혼은 해도 후회, 안 해도 후회한다. 이처럼 인생은 수많은 선택과 후회가 뒤따르니 그럴 경우에는 하라고 제안한다.

5장 착각의 예방(방법은 하나뿐이다)편에서는, 착각이 의식 밖에서 자동적으로 일어나기에 알수도 없고 착각을 예방하기도 어려우니 착각의 심리학을 이해하고 인생을 살자는 그 나름의 결론을 말한다.

전도하다 보면 교회에 나오지 못하는 다양한

핑계를 대는 무수히 많은 사람을 만난다. 천국과 지옥이 있다고 말해 주고, 죄로 말미암은 인간의 타락과 예수 그리스도를 통한 구원을 이야기해 주어도 자기만의 생각에 빠져 제대로 된 생각인지 아닌지 살펴보지도 않고 무조건 거부하는 경우가 잦다. 이미 알고 있다고 말하는 사람도 많다. 하지만 착각하지 않는다고 말하면서도 착각하는 사람의 심리를 알고, 자신도 예전에 그랬다는 전제를 두고 공감하며 친절하게 대하면 마음의 문이 열린다.

진리를 말하더라도 방법이 잘못되면 설득력이 떨어지니 진정성을 가지고 인격적으로 호소할 때 좋은 결과를 거둘 수 있다는 사실을 알게 해 준다.

# 100℃를 위한 마지막 1℃의 노력

『크리티컬 매스』
백지연 著 / 알마

　우리에게 낯익은 백지연 아나운서가 쓴 이 책은 성공을 말하는 자기계발서라기보다는 삶을 살아가는 지혜를 말하고 있다. 산뜻한 표지에 아름다운 미소를 짓고 있는 저자가 보이지만 책 제목만 가지고는 선뜻 다가서기 힘들다.

　크리티컬 매스는 무슨 뜻일까? 크리티컬 매스, 즉 임계질량이란 말은 원래 물리학에서 나온 개념이다. 어떤 핵분열성 물질이 일정한 조건에서 스스로 계속해서 연쇄반응을 일으키는 데 필요한 최소한의 질량을 말한다.

　물이 끓는 데 필요한 100℃에 1℃가 부족한 상태로 있다면, 물을 끓일 수 없기에 백지연은 성공한 사람들을 무수히 인터뷰한 경험을 바탕으로 성공의 비밀은 마지막 1℃에 있음을 강조한다.

　이 책은 3부로 구성되어 있는데 1부를 '나 자신에게 감동하라'는 주제로 시작한다.

　태백산맥의 소설가 조정래 작가는 '자기가 노력한 분량이 스스로를 감동하게 만들 정도가 되어야 노력이라 말할 수 있다'라고 하면서 대충 하는 습관을 버리기를 당부한다.

나에 대한 믿음이 내 안에 형성될 때까지 때로는 쉽지 않은 과정을 거쳐야 한다. 나를 감동시킬 정도가 필요하다. 거쳐야 할 고난과 어려움이 클수록 자신에게 보내는 신뢰는 견고해진다. 넘어서야 한다. 포기와 좌절의 순간도 넘어서야 하고 절망도 넘어서야 한다. 내가 넘어서는 것이다. 그래야 훌륭한 작품이 나오고 성공의 열매가 맺어지게 된다.

2부 '행복하고 그리고 성공하라'에서는 성공이 무엇인가를 생각해본다.

물질만능만이 아니라 삶에서 사소하게 누릴 수 있는 행복과 성공을 꿈꾼다. 에머슨의 시를 인용하면서, 자주 그리고 많이 웃는 것이나, 아이들에게서 사랑을 받는 것이나, 자기가 태어나기 전보다 세상을 조금이라도 살기 좋은 곳으로 만들어 놓고 떠나는 것, 그리고 자신이 한때 이곳에 살았음으로 해서 단 한 사람의 인생이라도 행복해지는 것이 진정한 성공이라고 말한다.

3부 '성공을 위한 비밀계단을 걸어 보라'에서는 새로운 시각을 제시한다.

내 마음의 시각을 바꾸는 순간 매일 주변에서 보던 모든 것이 내게 새로운 의미를 주는 관찰대상이 된다. 새로운 것을 발견하기 위해서는 산책자로서 진정한 자세를 갖춰야 한다. 몸에 힘이 빠져 있어야 한다. 그래야만 내 고

정관념이 아닌 새로운 시각으로 세상과 만날 수 있다.

  이 책을 읽으면서 신앙생활도 마찬가지라고 생각한다. 조금만 더 가면, 즉 '크리티컬 매스'를 통과하면 뜨거운 성령의 임재를 만나고 변치 않는 신앙을 유지할 수 있는데, 우리는 쉽사리 포기하는 경향이 짙다. 수많은 세상 유혹에도 흔들리지 않도록 쉼 없이 기도하며 우리의 성공, 천국에 이르도록 신앙의 경주를 해야 할 것이다.

# 버리면 마음과 삶이 가벼워진다

『마흔 살의 정리법』
사카오카 요코 著 / 이아소

　나이가 드니 정리하는 데 관심이 생긴다. 시중에 정리법을 알려 주는 책이 많지만 이 책만큼 기억에 남는 저서도 없어 소개하고자 한다.
　저자는 인테리어 코디네이터다. 그는 평소 '중년 이후에는 인생을 리모델링해서 인생 2막을 멋지게 살아야 한다'고 생각했다. 그래서 2007년에 중장년이 지내는 환경을 개선하고자 주식회사 쿠라시카루를 설립했다.
　이 책은 단순한 정리 테크닉이나 수납 노하우를 알려 주는 책이 아니다. 앞으로 어떤 인생을 살고 싶은지, 그렇게 하려면 무엇이 필요한지 자신에게 묻고 불필요한 부분을 버려 새로운 삶을 살 수 있게 도와준다. 어지러운 물건을 정리하려면, 지금까지 살아온 인생을 돌이켜보고 앞으로 지낼 인생을 직시한 다음에 마음 정리하는 일부터 시작해야 한다.
　1장 '물건을 버리고 행복을 얻는다'에서 '버리기'는 세상에서 가장 간단한 정리 기술이라고 말한다. 갖고 있던 물건 수를 줄이는 일은 제2의 인생과 그 끝에 맞이할 죽음에 대비하는 방법이다. 물건을 정리하다 보면 이런저런 추억이 새삼스레 떠오르고, 물건마다 판단과 의사결정을 내리게 된다. 그러는 가운데 자연스레 마음이 정리된다.

2장 '멋진 인생을 위한 버리는 기술'에서는 버리는 데 필요한 기준과 규칙, 버릴까 말까 망설여질 때 생각할 6가지 질문과 정리의 달인이 되는 5가지 철칙을 말해준다. 물건을 버리는 기준 6가지는 다음과 같다.

1. 지금 유용하게 쓰는 물건은 버리지 않는다.
2. 소중한 기억이 담긴 물건은 버리지 않는다.
3. 유용하게 쓰지 않고 소중한 기억이 없는 물건은 버린다.
4. 입지 않는 옷은 버린다.
5. 사용하지 않는 일용품은 버린다.
6. 사용할 수 있는 물건은 사용한다.

3장 '생활은 단순하게 정신은 풍요롭게'에서는 자녀가 독립할 때 부모가 할 일, 언제라도 사람들을 초대할만한 집으로 만들기, 집 안 정리와 다이어트가 지닌 공통점을 다룬다.

4장 '가볍게 사는 기쁨은'에서는 더 많이 사들이면 사는 것이 만족스러울까, 쓰레기를 만들지 않고 살아보기, 소유하는 시대에서 나눠 쓰고 다시 쓰는 시대로, 추억은 앨범으로 남기자 등이 인상적이다.

인생의 크고 작은 전환기에서 물건은 물론이

고 머리와 마음, 인간관계를 함께 정리하자는 개념이 색다르게 다가온다.

신앙생활은 육신을 이기고 영적으로 승리하는 삶을 말한다. 육신을 이기려면 우선 거치적거리는 부분이 없어야 한다. 나그네 인생길에서 가볍게 정리된 인생을 살다가 언제든 주님이 부르시면 주께로 나아가는 삶의 자세가 필요하다. 이 책이 자기 주변과 인생 정리에 도움이 되기를 바란다.

# 100분에 한 권씩 읽을 때까지

『48분 기적의 독서법』
김병완 著 / 미다스북스(리틀미다스)

책을 읽어 사람의 인생이 달라진 사례를 중심으로 『기적의 독서법』을 쓴 김병완 작가는 성균관대를 졸업한 후 삼성전자에 입사해 휴대폰 연구원과 6시그마 전문가로 11년을 근무했다. 그러다가 과감하게 자신만의 길을 찾기 위해 회사를 그만두고 부산에 내려와, 3년 동안 도서관에서 목숨 걸고 만 권이 넘는 책을 읽었다.

글쓰기를 배우거나 훈련을 한 적이 없는 평범한 직장인이었지만, 집중 독서를 통해 변화된 자신을 경험했고, 그것을 바탕으로, 독서 전도사의 길을 걷게 된다.

이 책은 총 6장으로 나뉜다. 1장 「48분의 기적」, 2장 「48분 독서로 잔잔한 삶에 혁명을 일으켜라」, 3장 「인생역전은 48분이면 충분하다」, 4장 「48분간 어떻게 기적을 일으킬 것인가」, 5장 「시간이 단축되는 획기적인 독서법」, 6장 「천 권 독서 필승 노하우」로 구분되어 구성하고 있다.

왜 48분인가? 평균 수명을 90세로 보고 3년간 1000권을 목표로 삼으면, 하루로 계산해서 오전과 오후 48분씩 나온다. 3년이란 기간 동안 1000권의 책을 읽으면 삶의 임계점을 돌파하게 된다. 삶의 임계점이란 의식과 사고가 비약적으로 팽창하여 인생이 획기적으로 전환되는 시점을 말한다. 이렇게 획기적인 인생역전은 3년이란 한정된 시간 동안 1000권의 책을 읽어야 비로소 가능해진다. 오전 오후 48분씩 3년을 평균 100분에 1권 독파하는 속도로 읽으면 1036권의 책을 읽을 수 있다.

103,680분 (1일 2회×48분×30일×12월×3년) ÷100분=1036.8권

습관이 바뀌어야 인생이 바뀌는데 가장 아름다운 습관은 독서라고 저자는 말하고 있다.

이 책에는 수많은 위인의 독서 습관에 관해 말한다.

빌 게이츠는 "오늘의 나를 있게 한 것은 우리 마을 도서관이었고 하버드 졸업장보다 소중한 것이 책 읽는 습관이다"라고 말했다.

금융의 황제라 불리는 조지 소로스는 런던에서 9년 동안 밑바닥 생활을 하면서도 손에서 책을 놓지 않았다. 철학관련 독서를 통해 사고의 수준이 비약적으로 향상되어 오늘의 성공을 이뤘다.

세계를 정복한 알렉산더 대왕이나 나폴레옹은 전쟁터에 나가면서도 엄청난 양의 책을 가지고 다니며 읽었다. 세계적인 거부 워런 버핏

의 독서량은 일반 사람들보다 다섯 배가량 많다고 한다.

그 밖에 세종대왕, 안중근 의사, 위대한 발명가 에디슨, 도스토옙스키, 스타벅스의 사장인 하워드 슐츠 등. 과거와 현대에 이르는 유명인들의 성공에는 항상 독서가 있었음을 설명하고 있다.

우리는 성경책을 통해 신앙의 인물들에 대해 배우고 하나님의 섭리를 알고 하나님의 사랑을 깨닫게 된다. 성공적인 신앙생활을 위해 성경을 가까이하고 늘 읽는 습관을 지녀야 할 것이다.

# 성공자의 조언을 귀담아 들어라

『20대에는 사람을 쫓고 30대에는 일에 미쳐라』
김만기 著 / 위즈덤하우스

　이 책은 자신이 겪은 경험담을 서술한 자기
계발서로, 저자는 한국외국어대학교에서 중국
경제로 박사학위를 취득한 후 숙명여자대학교
에서 겸임교수로 재직하며 현재는 (주)헤럴드
차이나 대표다.
　저자는 일류대를 목표로 재수, 삼수를 했지
만 결국 대학 진학에 실패했다. 군에 입대하고
제대한 후 무작정 중국에 가서 한국인 최초로
북경대를 졸업했다. 이어 영국에서 석사과정을
마치고 본격적인 중국 사업을 시작해 무수한
실패를 경험했다. 이제는 성공한 경험으로 20
대 청년들에게 진솔하게 조언을 해 주고 있다.
　저자는 20대 청년들에게 사람을 사귀는 일
에 사적인 이익을 개입하지 말고 순수하게 무
조건 많이 사귀어야 한다고 강조한다. 또 좋은
사람은 복리통장보다 더 효용성이 크다고 말
한다.
　복리통장은 원금에 이자가 붙고, 이자 붙은
원금에 또 이자가 붙는 방식이므로 매우 효과
가 큰데, 20대까지 사귀는 친구 관계는 나중
에 복리통장처럼 내게 돌아와 인생에서 어렵

고 힘들 때 알게 모르게 큰 도움을 준다는 교훈을 전한다. 그래서 스펙을 쌓는 일보다 다양한 사람을 만나고 그들과 협업하며 삶이 주는 소중한 경험을 많이 쌓으라고 조언한다. 다만 사람을 만날 때 자기에게 긍정적인 영향을 주는 사람과 사귀기를 당부한다.

저자는 인간관계에서도 다이어트가 필요하다고 말한다. 불필요한 군살을 **빼듯** 인간관계에서 다이어트 대상으로는 무시하는 사람, 배신하는 사람이 1순위다. 첫인상을 믿지 말고 최소한 1년은 사귀어 보고, 부정적인 사람보다는 긍정적인 힘이 넘치는 사람을 만날 것을 권면한다. 또 글을 읽는 이 역시 사람을 만날 때 상대를 진심으로 대하며 약속을 잘 지키고 인사를 잘하라고 한다.

또한 상대방을 배려하고 자신을 낮춰 화합할 줄 알고 맡은 일에 책임을 다할 줄도 알아야 한다.

책 후반부에는 시간을 관리하는 방법, 은퇴 대비, 실력과 함께 넓히는 인맥 같은 다양한 주제를 사례를 들어가며 설득력 있게 이야기한다. 새벽 시간을 이용하고 자투리 시간을 활용하고 좋아하는 일을 제2의 직업으로 100세 시대를 준비하라며 실천사항도 말한다.

전문성을 키워가며 점차 새로운 영역을 개척하고 동시에 사람을 사귀는 여러 비법을 소개하고 있다.

　신앙생활 역시 인맥을 넓혀야 많은 도움을 받는다. 먼저 그 길을 간 사람에게 경험을 들으면 무지를 없앨 수 있고 실수를 줄일 수 있다. 아무래도 새 길을 개척하는 일이 쉽지 않기 때문이다. 다양한 사례를 수집하고 경험을 들은 후 방향을 잡아야 방향 없이 무작정 열심히 하다 엉뚱한 결과를 낳지 않는다. 20대와 30대를 구분하지 않고 내게 주어진 인생을 보다 가치 있게 살려는 모든 이에게 도움을 주는 좋은 책이라 생각한다.

# 사랑이 지닌 가치와 소중함

『에드워드 툴레인의 신기한 여행』
케이트 디카밀로 著 / 비룡소

 이 책은 에드워드 툴레인이라는 토끼 인형의 여행기를 담았습니다.

 차가운 도자기 토끼인형 에드워드 툴레인은 사랑을 받을 줄만 알고 할 줄은 모릅니다. 에드워드는 에블린이라는 열 살 소녀에게 사랑을 받지만 자부심에 가득 차 주인이 주는 사랑을 당연시합니다. 그러던 어느 날, 에드워드는 에블린과 바다여행을 하다가 갑판에서 미끄러져 바닷속으로 빠집니다. 이 때부터 에드워드의 모험이 시작됩니다. 이 책은 에드워드가 신기한 여행을 하며 변화하는 과정을 동화 형식에 맞춰 전지적 시점으로 이야기합니다. 멋진 그림과 함께 쉽고 짧은 문장으로 쓰여 어른뿐 아니라 어린이도 쉽게 읽을 수 있습니다.

 편안하게 애블린의 사랑과 보살핌을 받으며 살던 에드워드는 바다에 빠진 순간부터 혹독한 세상살이를 맛보게 됩니다. 강풍이 부는 어느 날, 어부가 바다에 빠진 에드워드를 건져냅니다. 에드워드는 어부 부부에게 사랑을 받으며 행복한 생활을 보내지만 잠시뿐, 우연하게 쓰레기통에 버려집니다. 에드워드는 쓰레기

산에 묻혔다가 떠돌이 불을 만나 떠돌이 생활을 합니다. 허수아비로도 잠깐 일합니다. 그러다가 병으로 죽어 가는 사라를 만나고 사라와 그 오빠 브라이스와 가슴 아픈 추억을 쌓습니다. 마지막에는 머리가 깨지는 아픔을 겪다가 인형수선공의 도움으로 살아나기도 합니다. 결국 토끼는 아주 오랜 시간을 돌아 에블린의 딸 매기가 인형가게에서 에드워드를 선택하면서 자신을 진심으로 사랑해 준 에블린에게로 돌아옵니다.

사랑을 모르던 토끼는 이 신기한 여행을 통해 사랑의 아픔을 깨닫고 진정한 사랑을 배웁니다. 사라처럼 언젠가 사랑하는 사람이 떠나는 모습을 지켜봐야 할지도 모릅니다. 하지만 토끼는 이제 두려움 때문에 사랑을 시작하지 않는 어리석은 짓은 하지 않습니다.

이 책은 누구를 만나든지 마음을 열어 사랑할 준비를 해야 한다고 말합니다. 우리 주변에 사랑해야 할 대상이 얼마나 많은지, 아름다운 것이 얼마나 많은지를 알려 주고, 또 그러한 것들이 많다는 사실이 얼마나 감사한 일인지를 깨닫게 합니다. 이 책은 우리가 사랑받을 만하고, 받은 사랑을 나눠 줘야 한다고 말합니다. 다시 사랑하고 다시 만나는 일이 얼마나 설렘을 주는지도 알려 줍니다.

우리는 모두 사랑받기 위해 태어난 존재입니

다. 하지만 그 사랑을 모르고 사는 사람이 많습니다. 우리가 죄인 되었을 때 우리를 살리려고 십자가에서 피 흘려 죽으신 예수의 사랑, 우리를 험한 세상에서 키워 주시는 부모님의 사랑, 늘 곁에서 힘이 되는 형제자매의 사랑, 이 모든 사랑이 나를 위해 준비된 사랑입니다. 이 책은 사랑을 받으면서도 사랑을 느끼지 못하는 이들에게 사랑이 지닌 가치와 소중함을 알게 해 주는 좋은 영양제가 될 것입니다.

# 인생을 풍요롭게 사는 방법

『고미숙의 몸과 인문학』
고미숙著 / 북드라망

 '동의보감의 눈으로 세상을 보다'라고 부제를 단 『고미숙의 몸과 인문학』을 읽었다. 고전을 통해 사회 각종 현상을 비평하는 에세이다. 저자는 고려대 국문학 박사 출신으로 수많은 고전을 읽은 고전평론가로 인문학 내공이 깊은 작가다.

 책은 여덟 개 장으로 되어 있다. 이 책의 키워드는 '몸과 우주'다. 몸은 우리가 살아가는 삶의 구체적인 현장이다. 몸에 대한 탐구, 몸을 둘러싼 여성, 사랑, 가족, 교육, 정치, 사회, 경제, 운명이라는 다양한 시각을 동의보감이라는 책 내용을 인용하면서 현대적으로 이야기한다. '동의보감으로 본 인생 지침서'라고도 부를 수 있다.

 저자는 소유하되 많이 가지지 말기를 권한다. 특히 가구와 물건을 줄이면 두 가지 길이 열린다. 첫째 집이 한결 넓어져서 이웃과 친지를 초대하고 싶어진다. 사람과 소통이 비로소 시작된다. 나아가 집이 더는 크지 않아도 된다고 느낀다. 그러면 더 많은 돈을 벌 이유도, 집을 사려고 엄청난 빚을 져야 할 이유도 사라져 좀 더 풍요로운 인생을 살 수 있다고 말한다.

가장 기억에 남는 부분은 브리콜라주 경제학 -백수의 생존법이다. 브리콜라주란, 주어진 재료를 가지고 최고의 작품을 만들어 내는 인디언의 기술이다. 시간이 많으니 배우고, 여러 사람과 대화하여 인맥을 쌓고 재능을 나누고, 봉사활동도 하며 인생을 풍요롭게 살 수 있다.

또 주변 공공시설을 적극 활용하여 도서관과 문화센터, 시민공원에서 최고의 문화생활을 공짜로 누릴 수 있다. 친환경적 시설에서 책을 보고 음악을 듣고 수준 높은 인문학 특강도 듣고 억대 연봉의 정규직도 감히 바라기 어려운 생활방식을 누린다. 이동은 당연히 걸어서한다. 교통비를 절감할 수 있다. 걷기를 일상화하면 헬스장에 따로 갈 필요가 없고, 잡념과 번뇌가 사라지면서 집중력도 높아진다.

공부는 모든 세대를 망라할뿐더러 나이가 들수록 더 잘 어울린다. 60대 이후면 한편으로는 자유롭고 다른 한편으로는 재충전이 필요한 시점이니, 공부하기에 가장 좋은 때라 할 수 있다. 자신이 원하는 공부를 하고 필요로하는 사람에게 나눠 주는 선순환의 삶을 살면 돈이 없어도 오히려 행복하다.

내면의 가치가 중요하다는 점을 인문학을 공부하면서 늘 느낀다. 돈이나 외모, 권세를 자랑하는 낮은 차원의 삶이 아니라 정직, 성실, 인내, 인간다움을 소중히 여기는 인문학의 즐거움에 빠지면 스스로 행복해진다.

신앙생활은 영원한 삶을 위한 것이다. 외적인 것에 파묻히지 말고 세상에 속지 말고 나의 본질적인 영혼의 문제를 중요시하며 인생을 행복하게 사는 것은 그렇게 어렵지 않다.

이 책을 통해 내적인 가치를 생각하고 믿음을 소중히 여기며 눈에 보이는 세상 유혹을 마귀의 장난으로 치부할 수 있는 굳센 영적인 사람이 되어 삶과 죽음을 기쁘게 맞이하고 하늘의 소망으로 충만하길 바란다.

# 과거를 보며 미래를 준비하다

『역사 e』
EBS 역사채널e, 국사편찬위원회 著 / 북하우스

　역사는 흘러간 사실이지만, 해석하는 방식은 우리의 처지를 바탕으로 한다. 『역사 e』는 수많은 역사 가운데 새롭게 해석할 수 있는 부분들을 골라 짧은 TV 프로그램으로 제작한 내용을 심도 있게 정리해 놓은 책이다. 책은 역사를 통해 조상들의 지혜를 들여다보게 하고 지금 우리가 배워서 적용해야겠다고 다짐하게 한다. 책 머리말에는 이런 글귀가 새겨져 있다.
　*"내가 두려워하는 것은 역사뿐이다."*
　조선 왕조에서 폭군으로 불린 연산군이 한 말이다. 유학이 지배하던 당시, 연산군은 일탈을 일삼아 신하들의 비난을 받았다. 하지만, 연산군이 실로 두려워한 것은 자기 행적을 기록한 실록의 내용, 즉 역사였다.
　모든 말과 행동이 기록되어 후손에게 남겨졌을 때, 자신이 당할 심판을 두려워하지 않을 수 없었다.
　책은 1부 어떻게 살 것인가, 2부 나는 누구인가, 3부 무엇을 기억할 것인가로 구성되어 있다. 단편적인 사실을 중심으로 돌출 간판같이 여러 단어가 나오고 마지막에는 역사적인 사실에 대한 설명이 따른다. 그중에서 1부 4번째 꼭지 '만년 후를 기다리는 책' 부분을 말하려고 한다.

『조선왕조실록』은 1893권 888책 분량으로, 조선왕조 25대 472년간의 역사를 기록했다. 유네스코에서는 『조선왕조실록』을 500여 년 역사를 세세하게 담아낸 전 세계에서도 유례가 없는 기록물로 인정해 훈민정음과 더불어 유네스코 세계기록유산(1997)으로 선정했다. 『조선왕조실록』은 정치, 경제, 법률, 교통은 물론 천문, 음악, 과학에 걸쳐 당시 사람들이 어떻게 살았는지 시대상을 다양하게 담고 있어 조선 시대 역사를 한눈에 볼 수 있는 타임캡슐이라 할 만하다.

여기에 더해 『조선왕조실록』이 지닌 가치는 객관적이고 믿을 만한 기록이라는 점에서 빛난다. 만일 임금이 사초를 보면 사관이 사실대로 적을 수 없다고 하여 왕과 대신들은 실록을 함부로 볼 수 없었다. "이 일은 기록하지 말라"고 왕이 사관에게 내린 명령까지 '있는 그대로 적은 책'이다.

수많은 전쟁을 거쳐도 후세에 전해질 수 있게 필사가 아닌 인쇄본으로 여러 곳에서 비밀스럽게 보관했고, 과학적인 방법으로 원형 그대로를 유지하고자 노력했다. 우리는 『조선왕조실록』같은 기록유산을 보면서 조상들이 지닌 정신을 이어받아 모든 주요 정책을 기록해야 하고, 객관성을 담보해야 하고, 시대 상황을 잘 담도록 노력해야 한다.

『역사 e』는 TV에서 방영된 체제로 만들어진 즐거운 구성의 책이다. 이 책은 우리의 흥미를 끄는 환관(내시) 문제와 화냥년의 유래, 임진왜란 때 우리 편에 선 일본인, 독립운동에 나선 갑부 우당 이회영 일가 같은 알려지지 않은 여러 역사적 사실을 찾아 일반인들에게 친숙하게 그리고 재미있게 제시한다. 나중에 인터넷으로 역사 e '다시보기'를 한다면 그 감흥이 더 새로울 것이다.

# 짧은 메시지에 담긴 강한 감동

『행복편지』
박시호 著 / 북캐슬

　박시호 작가가 쓴 『행복편지』 표지에는 '누구나 다 아는, 그래서 잘 몰랐던 이야기'라고 부제인 듯한 글이 새겨져 있다. 행복은 늘 내 곁에서 나를 위해 준비되어 있는데 그것을 보지 못하고 울고 있는 형제에게 작은 편지를 건네 행복을 알려주고 꿈과 희망을 품게 한다.
　박 작가는 2003년부터 매일 아침 7시에 가까운 사람에게 메일로 보낸 행복편지를 모아 특히 젊은 층에게 꿈과 희망을 주고자 책을 펴냈다고 한다.
　책은 6개의 장으로 나눔, 부모, 희생, 도전, 부부, 행복의 소주제로 진행된다. 특별히 다음 이야기를 읽으면서 하염없이 눈물을 흘렸다.
　'아버지의 목발'이라는 감동적인 글이다.
　가족이 소풍을 가다가 교통사고를 당한다. 딸과 아버지가 크게 다쳐 목발을 한다. 실의와 상심에 빠진 딸은 늘 불평불만 하지만 늙으신 아버지와 같이 다쳤기에 다시 마음을 다잡고 일어선다. 어느 날 길에서 놀던 아이가 넘어져 사고가 나려고 하자 아버지가 목발을 벗고 뛰어가 구해냈다. 딸이 아픔을 벗고 일어나도록 하려고 아버지가 그동안 가짜로 목발을 하고 다닌 것이었다.

꿈과 희망, 가치, 목적에 미래를 두고 행복한 삶을 설계해야 하는데도 우리 사회는 남의 이목을 중시하고 남과 비교하는 체면을 중시하므로 다른 나라에 비해 행복지수가 낮다.

모든 사람이 한 방향으로 뛸 때는 1등이 1명밖에 없지만 동서남북으로 뛰면 4명, 사방팔방으로 뛰면 모두가 1등이 될 수 있다. 그러려면 누구라도 사회에 이바지할 수 있고 자신만의 세계를 그릴 수 있도록 도와주는 사회 구축이 필요하다.

행복은 무엇일까? 이웃과 더불어 사는 삶, 베풂을 실천하는 삶, 긍정적인 생각을 가지고 자신에게 만족하며 도전을 즐기는 삶이 행복한 삶이다. 스트레스나 불만, 불안 같은 감정은 모두 남이 만들어 주는 것이 아니라 바로 나 자신이 만드는 것이다. 행복은 남이 만들어 주는 것이 아니다. 누구나 자기 마음속에 행복이 있지만 그것을 깨닫지 못할 뿐이다.

행복이든 불행이든 모든 사람에게 똑같이 찾아온다. 어떤 사람은 행복하게, 긍정적인 마음으로 받아들이고 또 다른 사람은 불안하고 부정적인 마음으로 받아들인다. 바로 그 차이가 행복과 불행의 결과로 나타난다. 생각을 어떻게 하느냐에 따라 행복과 불행이 결정된다. 행복은 마음속에 있다.

신앙생활은 참 행복한 생활이다. 개인이 짊어질 모든 고통과 죽음, 지옥 문제를 하나님의 아들인 예수께서 십자가에서 해결해 주셨으니 감사하고, 주님 주신 은혜 때문에 하루하루가 행복하다. 그 행복을 우리 이웃과 함께 나누기 위해 전도하는 삶을 살기를 소망한다.

# 갑자기 세상 사람들의 눈이 멀게 된다면

『눈먼 자들의 도시』
주제 사라마구 著 / 해냄

눈이 머는 것은 장애 중에서도 매우 힘든 일이다. 그것도 멀쩡하던 사람이 갑자기 눈이 멀어 버린다면 그 충격은 얼마나 클 것인가. 포르투갈 출신의 노벨문학상 수상 작가 주제 사라마구가 쓴 『눈먼 자들의 도시』는 눈먼 자들의 비참한 현실을 이야기하고 있다.
『눈먼 자들의 도시』는 맹목(盲目)이라는 전염병이 인류 문명을 자멸 상태로 몰아가는 과정을 담은 신랄한 사회소설이다.
이 책에는 처음 눈이 먼 남자와 그의 아내, 그를 진찰한 안과의사와 그의 아내, 색안경을 쓴 술집 여자, 안대를 한 노인, 엄마 잃은 소년, 처음 눈먼 남자의 차를 훔친 남자가 주요 인물로 등장한다. 책 어디에서도 등장인물의 이름은 나타나지 않는다. 익명성으로 누구나 그런 상황에 처하면 그럴 수 있음을 암시한다. 또 도시의 이름도 없어 세계 어디에서도 있을 수 있는 사건임을 암시한다.
어느 날 도로 한가운데에서 원인 모를 바이러스로 눈이 멀어 버린 남자 운전자를 시작으로, 모든 것이 백색으로 보이는 실명 현상이 여러 사람에게 발생한다.

국가는 전염병으로 규정하고 더 퍼지는 것을 막으려고 환자들을 정신병원에 수용한다. 의사 부인은 유일하게 눈이 멀지 않았지만 눈먼 남편을 돌보고자 자발적으로 수용소에 들어간다. 정신병원에 들어간 사람들은 제한된 식량 때문에 갈등을 일으킨다. 사람들은 아무 데나 배설한다. 힘 있는 자들은 여자들을 성적으로 유린하고, 먹을 것을 얻고자 상대를 죽음의 길로 몰아낸다. 슬프지만 잔인하고 끔찍한 일들이 벌어진다. 의사 부인은 이런 비극적인 상황에서 화재로 어수선한 틈을 타 수용소를 탈출한다. 수용소를 나와 보니 세상 사람들은 이미 모두 눈이 멀어 있다. 오물 천지에 먹을 것이 없어 음식을 찾아 헤매는 눈먼 자들로 가득 차 있다. 의사 부인은 눈먼 자들과 연대하여 사랑하며 인간성을 회복하며 생존을 이어간다. 마지막에 모든 사람이 하나씩 시력을 다시 찾지만 이제는 오히려 의사 부인의 눈이 멀게 된다.

현실에서도 이 같은 비극은 충분히 일어날 수 있다. 세상은 마귀로 말미암아 영적인 눈이 멀어, 저마다 자기 욕심대로 살아가면서 혼란과 고통의 현장에 놓여 있다.

이때 구원의 이름 예수 그리스도가 나타나 세상 죄를 짊어지고 우리를 구원하였으므로, 영

적인 눈을 뜬 자가 눈먼 자들을 이끌어 하나
님이 원하시는 천국으로 인도하는 희망을 전
해 주어야 한다. 소망의 불을 켜야 한다. 다시
는 눈먼 도시가 되지 않도록, 마귀가 주관하는
어둠으로 내몰리지 않게 깨어서 늘 싸우고 이
겨야 한다.

성경 말씀은 육신의 눈은 뜨고 있지만 영적인
눈먼 자로 살아가는 우리에게 영적인 경고를
주고 있다. 참으로 빛이신 예수 그리스도가 필
요한 세상임을 알려 주고 있다.

# 행복은 개척하기 나름이다

『준비된 행운(Good Luck)』
알렉스 로비라 셀마, 페르난도 데 베스 밍코트
공저 / 에이지21

저자 알렉스 로비라 셀마는 경제학자이자, 상거래 분석 전문가다. 또 컨설턴트로서 많은 다국적 기업과 컨설팅 기업에서 높은 평가를 받고 있다.

저자는 행복한 인생과 성공에 이르는 원칙과 태도를 쉽고 간결하면서도 감성적 문체로 소개한다.

저자는 사소한 일에서도 의미를 발견하고, 자신이 살아가는 여기, 이 순간에 집중해 더 나은 미래를 살라고 말한다. 열심히 노력하며 늘 주변 사람들을 배려한다면 행복은 저절로 찾아온다는 내용을 담고 있다.

책에서는 어릴 적 친구인 빅토르와 다비드가 예순넷 노인이 되어 봄날 공원에서 우연히 재회한다. 그들이 열 살 무렵 다비드의 아버지가 엄청난 유산을 물려받고 다비드 일가가 마을을 떠나면서 둘은 헤어졌다. 다비드는 행복을 얻었지만 그 행복은 스쳐 지나갈 뿐 계속 머물지 않았다. 그는 사업에 실패해 하루하루 초라한 노후를 보내고 있다.

반면 빅토르는 가난한 집 자녀로 힘들게 살았지만 할아버지에게 네잎클로버 이야기를 들은 후 스스로 노력해서 행복해지는 법을 배웠고 인생을 성공적으로 이끈 그는 지금은 여러 사업을 운영하는 회장이 되었다. 이 책은 '책 속의 책' 구성으로 빅토르가 다비드에게 능력자와 기사가 등장하는 할아버지의 옛이야기를 들려준다.

한 능력자가 '무한한 행복'이라는 절대적인 능력을 경품으로 걸고 많은 기사를 대상으로 '네잎클로버'를 찾는 시합을 연다. 하지만 기사들은 7일이라는 짧은 기간에 그 넓은 숲 속에서 어떻게 네잎클로버를 찾을지 고민하다 포기하고 돌아간다. 그런 중에 흑기사 '노트'와 백기사 '시드'도 도전에 나선다.

클로버를 찾다가 실망한 흑기사 노트는 결국 불가능한 시합을 하게 한 능력자에게 불평불만 하며 도전을 포기한다. 하지만 백기사 시드는 지금껏 숲 속에서 클로버가 자라지 못한 이유를 찾아 하나씩 해결하면서 클로버가 자랄 여건을 조성해 나간다. 사실 네잎클로버의 씨앗은 숲 전역에 뿌려져 있었지만, 여건이 맞지 않아 자라지 못했다. 평소 좌우명대로 지금 할 일을 미루지 않던 백기사 시드가 조성한 땅에서 네잎클로버는 마음껏 싹을 틔웠다.

이 책을 읽으면서 예수 그리스도의 사랑이 떠

올랐다. 예수님은 우리 인간의 죄를 해결하시려고 십자가에 피 흘려 죽으시고 우리를 구원하셨다. 우리는 그 사실을 믿음으로 구원을 받았다. 누구에게나 이 은혜를 베풀었지만 천국을 사모하는 자만이 그 사실을 실제로 믿고 자기 몫으로 만든다.

행복이 들어오는 문의 열쇠를 가진 자는 바로 우리 자신이다. 잠깐의 행복이 아니라 영원한 행복, 즉 천국에 이르는 길도 예수 그리스도로 말미암아 이미 주어졌다. 예수의 사랑을 내 몫으로 소유하는 자만이 천국이라는 영원한 행복을 누릴 수 있다는 점을 이 책을 읽고 더욱 절실히 깨달았다.

## 성경 속 비전의 참 의미 발견

『내 인생에 비전이 보인다』
  양형주 著 / 홍성사

『내 인생에 비전이 보인다』는 저자인 양형주 목사(대전 도안교회 담임)가 청년들이 세상적인 일반 리더십과 경영학에서 말하는 비전으로 힘들어하는 것을 보고 성경적 비전을 탐구하고 청년들과 비전스쿨을 개최하여 나눈 내용을 엮었다.
저자는 장로회신학대학교 신학대학원을 졸업한 후 명성교회 교육전도사, 동안교회 청년사역을 담당했고 『청년 리더 사역 핵심파일』이란 저서도 있다.
책은 총 4부로 구성되어 있다.
1부 <독특한 나>에서는 평범한 비전과 성경적인 비전을 비교한다.
"오늘날 청년들에게 비전을 품으라고 하면서 비범하고 원대한 비전을 이루기 위해 열심히 최선을 다해 노력하라고 한다. 그러나 성경은 원대한 삶이나 목표를 성취하는 삶보다 한 알의 밀알로 썩고 희생하는 삶, 자신의 야망을 이루기보다 내려놓는 삶, 낮은 곳으로 내려가는 삶, 순종하는 삶을 도전한다."(p51)
2부 <성경은 비전을 무엇이라 하는가>에서는

성경에서 말하는 비전을 다룬다. 저자는 비전과 비슷한 의미를 가진 성경적인 단어로 소원을 들면서 마음에 소원을 두고 행할 때 도와주시는 하나님을 만나라고 말한다.

3부 <보이지 않는 부르심-소명>에서는 하나님의 부르심인 소명에 대해 이야기한다. 소명은 내가 만드는 것이 아니라 전적인 하나님의 부르심이라는 데 차이가 있다. 우리가 꿈쟁이라 많이 이야기하는 요셉의 사례를 살펴보면서 비전이 아닌 소명이라고 설명한다.

"소명은 하나님이 자신의 자녀를 부르시는 부르심 사건이요, 하나님의 번뜩이는 지혜와 통찰력이 있는 과업 혹은 목표가 주어지는 사건이다. 여기에는 중요한 전제가 있는데, 소명은 하나님 편에 전적인 주도권이 있다는 것이다."(p108)

4부 <소명 찾기 - 삶의 모자이크 만들기>는 소명을 찾아 삶을 채워 나가는 법을 다룬다. 우리의 인생에 어떤 모자이크 조각들을 채워야 할까? 저자는 로버트 클린턴의 리더십 발달 이론을 기초로 연령대별로 분류하여 제시했다. 결론적으로 저자는 우리 삶의 매 순간을 모자이크 조각으로 본다. 주어진 조각들을 성실하게 살다 보면 내게 주어진 여러 가지 교차점에서 새로운 변화가 일어나고, 나아가 새로이 내게 주어진 조각들이 합쳐져 유일하고 아름다운 작품을 만들게 된다.

비전을 성경에서 말하는 소원이라고 볼 때, 내게 소원을 주시는 분이 하나님이시니 내가 하고 싶은 일이 하나님의 뜻에 맞는 것인가를 살펴보고 그에 합당한 삶을 열심히 살다 보면 내 인생의 작품이 이루어질 것이다. 외부의 헛된 욕심에 유혹당하지 말고 주 안에서 내게 주어진 일을 열심히 하여 하나님의 기쁨이 되는 삶을 살아야겠다.

# 위기를 극복하고 성공으로 가는 지혜

『부자 신사와 달걀 하나』
  신인철 著 / 위즈덤하우스

"아무것도 가진 것이 없다고 느낄 때, 그때가 바로 새 인생의 출발점이다."
책 뒷면에 광고 문구로 기재되어 있는 내용인데 한눈에 쏙 들어온다.
『부자 신사와 달걀 하나』는 자기계발서로 분류되지만, 실제 있었던 일을 엮어 자전적 소설로 만든 책이다.
저자 신인철은 자신을 회사원, 작가, 방송인, 에듀래블러로 소개한다.
에듀래블러는 교육(Education)과 여행(Travel)을 접목해 세상 여러 곳에서 경험한 새로운 내용을 기존의 학문과 융합해 '즐거운 지식'을 만들어 내는 이들을 이른다.
이 책은 서울역 노숙자라는 무일푼, 최악의 상황에서 시작하여 남을 배려하고 도와줄 수 있는 제대로 된 부자가 되기까지 과정을 1년(정확히는 357일)이라는 비교적 단기간에 진행된 멘토링을 통해 증명한다.
프롤로그에서 저자는 "부자와 가난한 자가 나누는 따뜻한 이야기를 소개해 많은 독자에게 희망을 주고 싶다"고 말한다.

목차도 신선하다. 자신을 소중히 여기라, 부를 결정짓는 달걀의 법칙, 저축의 데칼코마니 법칙, 부자 신사의 50년 철칙, 돈의 출구 조사, 인연을 사 모으게 등 12가지 제목으로 서술한다. '우연한 만남' 장을 보면 저자가 어느 날 친구들과 대화를 나누다가 '누구든지 조금만 노력하고 주변에서 약간만 도와주면 부자가 될 수 있다'고 자기 생각을 말하다가 모두가 반대하니까 오기가 생겨 직접 증명해 보겠다고 말한다. '희망 거래' 장에서 저자는 자신의 주장을 누군가에게 실험해 보기로 하고 서울역에 갔다가 빨간 산타 모자를 쓴 노숙자를 만나, 부자가 되고 싶으면 도와줄 테니 함께 노력해줄 수 있느냐고 제안한다.

이후 장에서 저자는 자기가 알고 지낸 백 사장을 노숙자 윤 씨에게 소개시켜 주고, 백 사장은 윤 씨에게 부자가 되는 멘토 역할을 실천해 가면서 이야기를 전개한다.

에필로그에서 저자는 "지난 1년 동안 서울역 노숙자라도 약간의 운과 주변의 도움 그리고 본인이 최선을 다해 노력하면 부자가 될 수 있다는 사실을 경험했다"고 말한다.

신앙생활도 멘토의 중요성을 빼놓을 수 없다. 하나님의 말씀을 제대로 알려 주는 영적인 스승이 없다면 세상의 시련에 넘어지거나 악한 유혹에 빠지기 쉽다. 돈의 고수인 부자에게 훈련받은 사람이 결국 그대로 실천해 부자가 되듯이, 우리 인생을 천국으로 이끌어 주는 영적인 리더의 권면을 잘 순종하고 지킨다면 어렵지 않게 천국에 갈 수 있다.

힘들다고 포기하지 말고 어렵다고 나태하지 말고 묵묵히 가르침을 따라 신앙생활에 승리하는 우리가 되기를 소망한다.

# 보이지 않고 들리지 않아도 괜찮아

『그래도 괜찮은 하루』
　구작가(구경선) 著 / 예담

우리가 사는 하루하루가 모여 인생이 된다. 슬프게 살아도 기쁘게 살아도 인생은 한 번 왔다가 돌아갈 곳으로 간다. 한 번뿐인 인생이기에 괜찮은 하루가 모여 괜찮은 인생이 된다. 『그래도 괜찮은 하루』를 쓰고 그린 저자 구작가(구경선)는 두 살 때 열병을 앓은 후 소리를 잃었다. 소리를 못 듣는 자신을 대신해 잘 들을 수 있도록 귀가 큰 토끼 '베니'라는 캐릭터를 만든다. 구작가는 자신이 할 수 없는 것을 아쉬워하지 않고 자신이 할 수 있는 손으로 그림 그리기를 택해 열심히 하루를 살아간다. 이 책은 자신의 힘들고 어려운 환경을 이겨나가는 긍정의 메시지를 담고 있다.

이 책은 총 4개의 장으로 구성되어 있다. 1장에서는 '너무 아팠지만 돌아보면 선물 같던 어제'를 이야기한다. 병으로 소리를 못 듣게 된 자신, 말을 가르치려고 갖은 애를 쓰는 엄마, 구작가는 배우려고 학교에 가고 참으로 힘든 하루하루를 기도하며 이겨 나간다. 하지만 얼마 지나지 않아 눈이 머는 병에 걸린다.

　절망이 다가온 어제의 이야기가 마음을 아프

게 한다.

2장은 '하고 싶은 게 많아 설렘 가득한 오늘'
이라는 제목으로 아직 빛이 보일 때 자신이
보고 느낀 것을 남기고자 하는 작가의 간절함
이 담겨 있다. 눈이 안 보일 마지막 때를 생
각해 만든 버킷리스트. 그것을 하나씩 실천하
며 하루를 살아간다. 엄마에게 나를 낳아 주어
감사하다고, 고생하셨다고 생신 때 미역국을
끓여 드리고, 사소한 말다툼으로 헤어진 어린
시절 친구를 찾아 화해하고 많이 울고, 운전면
허증을 따고, 돌고래와 헤엄치고, 김연아 선수
를 만나는 일처럼 하고 싶은 일들을 꿈꾸며
행복해한다.

3장에서는 '두근두근 희망으로 기다려지는 내
일'을 소개한다. 추억을 남겨 놓으려고 가족여
행 가기, 나중을 대비해 팬 미팅 미리 하기....
작가는 누군가에게 의미 있는 일을 해 자신에
게 기쁨을 선물로 주고 싶어 한다. 눈이 보이
지 않을 때 할 수 없는 일 중 하나인 마라톤
을 미리 경험하고 싶어 한다. 목소리를 녹음해
서 들려주기, 한국영화 100편 보기, 책 100권
읽기처럼 희망 속에서 기다리는 작가의 내일
이 사소해 눈물이 난다.

4장은 '나에겐… 너무 소중한 하루하루'다. 작
가는 눈이 보이지 않는다고 가정해 할 일들을
찾아본다. 안 보여도 그림 그리기, 안 보여도

강연하기, 수많은 예쁜 상상하기. 결국 버킷리스트는 갈수록 늘어만 간다. 하고 싶은 일이 몹시 많다. 작가는 하루하루 사는 일이 무척 소중한 만큼 정말로 하고 싶은 일을 조금씩 하고 싶어 한다.

우리 신앙생활은 영혼의 때를 위한 하루하루가 모인 인생이다. 내게 주어진 하루를 '그래도 괜찮은 하루'로 만들려고 소중하게 살리라 다짐한다. 그러기 위해 구원받은 은혜에 감사해 그 사실을 모르는 이들에게 복음 전하기를 간절히 소망한다.

# 내 인생을 바꾼 아버지의 한마디

『아버지는 말하셨지』
　송정연·송정림 著 / 책읽는수요일

"왜 고맙다는 말보다 죄송하다는 말부터 나오는 것일까. 원하는 자식이 못 되어 드려 죄송하고 효도하지 못해 죄송하고 죄송한 것투성이다. 고마움이 너무 커서 차마 고맙다는 말보다 죄송하다는 표현부터 나오는 나는 못난 자식이다."
작가의 고백이 가슴에 와 닿아 눈을 적신다. 기대만큼 자라지 못한 후회가 밀려온다.
방송작가로 잘 알려진 송정연·송정림 자매가 쓴 『아버지는 말하셨지』는 아버지가 돌아가신 뒤 생전에 하신 말씀을 모으고 거기에 따른 감상을 적은 글이다.
저자의 아버지인 송권익 선생은 지극히 건강하다가 감기 증세로 입원한 지 며칠 만에 폐렴으로 돌아가셨다. 둘째, 셋째 딸인 저자는 공직자로 평생을 건실하게 살면서 자녀들을 잘 양육하고 은퇴 후에도 흐트러진 모습 없이 꼿꼿한 아버지상을 보여 준 아버지를 추억하며 아버지가 평소 하신 말씀을 인생길에서 어떻게 적용하며 살았는지 담담하게 이야기한다. 아버지의 갑작스러운 운명에 보내 드릴 준비를 미처 하지 못한 자식들의 아쉬움이 글 전반에 흐른다.

부드러운 말솜씨로 잘 버무려서 읽기에 편하고 아버지의 마음이 잘 전달되도록 살짝 감동이 들어 있어 읽는 내내 우리네 가족의 이야기 같아 동질감을 느끼게 한다.

책은 형식상 5부로 나누었다. 아버지가 한 말씀을 꼭지로 두고 두 자매가 번갈아 가면서 말씀에 얽힌 일화를 소개한다.

'1부-차가운 시멘트 벽을 기어오르는 담쟁이넝쿨처럼'에서 아버지는 취업을 앞둔 딸에게 "앉아서 기다리지 말고 직접 찾아가라"고 말씀하셨다. 수십 대 일이라는 경쟁률에 지레 겁먹던 저자는 아버지의 말을 듣고 용기를 낸다. 결국 회사에 직접 찾아가 자신을 인상 깊게 소개해 취업에 성공한 저자의 체험담이 큰 울림을 준다.

'2부-웃으면서 하늘을 볼 날은 꼭 온다'에서는 '부모가 자식 일에 의연해야지' '멀미 날 땐 멀리 봐라' '돈을 벌기보다 사람을 벌어라'는 내용이 담겨 있다.

'3부-해피엔드로 만들어라'에서는 '용돈은 이 다음에 늙거든 받으마' '안마하지 마라, 습관된다' '도둑 중에서도 가장 나쁜 것이 시간 도둑이다'가 담겨 있다.

'4부-비가 오면 집 안에 꽃을 꽂아라'에서는

'멋은 내는 게 아니라 풍기는 거다' '주고받는 것이지, 받고 주는 것이 아니다' '누군가와 밥을 먹을 때 밥값은 네가 내라'고 쓰여 있다.

'5부-인생에는 정답이 있다'는 '몸의 소리를 흘려듣지 마라' '책을 외면하면 제일 바보다' '인생에는 정답이 있다' 순으로, 마지막 챕터 제목은 '네 엄마를 부탁한다'이다.

험난한 세상을 살 때 힘이 되라고 주시는 아버지의 말씀이다. 이 책은 제대로 효도하지 못한 아쉬움과 더불어 하나님 앞에 충성하지 못한 믿음 없는 나를 돌아보게 한다.

# 최근 문화 시장 흐름에 관한 전략

『글로벌 시대의 방송 콘텐츠 비즈니스』
박재복 著 / W미디어

미디어는 변화의 격랑 속에서 헤매고 있다. 시장이 급속도로 글로벌화 하는가 하면 한편에서는 첨단기술에 기반을 둔 신개념 매체가 속속 출현한다.
안주하려는 자는 변화를 위기로 받아들이지만 도전하는 자에겐 변화가 절호의 기회다.
『글로벌 시대의 방송 콘텐츠 비즈니스』는 미디어업계 전반에 부는 변화의 바람 속에서 방송 콘텐츠가 글로벌 시장에 진출한 현황을 주요 장르별로 살펴보고, 최근의 시장 변화 속에서 우리가 구사해야 할 비즈니스 전략의 기본 틀을 어떻게 짜야 하는지를 전해 집단지성의 바다에 작은 부분이라도 보탬이 되려고 집필됐다.
저자 박재복은 연세대학교 영상커뮤니케이션 박사이자, 방송 콘텐츠 마케팅 전문가다. 한류(韓流)란 신조어를 탄생하게 한 드라마를 중국 CCTV에 방영하게 한 것을 비롯해 여러 드라마를 해외에 수출해 한류 영역 확장에 이바지했다.
책은 7장으로 구분된다.

1장에서는 글로벌 시대의 방송 콘텐츠 비즈니스 환경을 살펴보고 세계가 함께 보는 글로벌화, 디지털화, 동일 문화권 내 연대인 지역 블록화 경향을 설명한다.

2장에서는 드라마 콘텐츠 비즈니스를 다루어 드라마 유통시장의 특성과 향후 전략을 제시한다.

3장에서는 예능 콘텐츠 산업의 새로운 영역인 포맷 비즈니스를 주로 설명한다. 예능 콘텐츠 포맷은, 프로그램 콘텐츠의 조리법으로 각각의 에피소드가 있지만 이를 모두 관통하는 구조와 내용 순서를 일컫는다. 따라서 각각의 에피소드를 구성하는 데에 변화하지 않고 꾸준하게 유지되는 프로그램 요소의 집합이라고 할 수 있다.

4장에서는 다큐멘터리 콘텐츠 비즈니스로 MBC <아마존의 눈물>을 사례로 다룬다.

5장에서는 애니메이션 콘텐츠 비즈니스로 <뽀롱뽀롱 뽀로로>를 예로 들어 영상판권 판매, 캐릭터 라이선싱(특허사용계약), 부가 콘텐츠 개발을 비롯한 다양한 사업영역을 구체적으로 설명한다.

6장에서는 방송 콘텐츠 비즈니스 실무로 방송 콘텐츠 기업의 비용구조와 무역원리, 협상 방법을 제시해 실무에 도움을 준다.

마지막 7장에서는 미디어 환경변화와 전망을

다룬다. 미디어 생태계의 미래 상황에서 미디어 콘텐츠의 진화, 글로벌화의 진전, 뉴미디어 기업과 경쟁, 이종 분야 기업과 경쟁, 광고 시장의 변화를 전하고 다양한 미디어 관련 산업에 대한 해박한 식견을 보여 준다.

이 책을 읽어 문화 콘텐츠의 다양성과 발전 가능성, 전망을 알았고, 복음의 시각에서 기독교 문화 콘텐츠를 돌아보았다. 하나님께서 기뻐하실 만한 문화 콘텐츠를 개발하고자 우리는 과연 얼마나 많은 노력과 심혈을 기울이고 있는가?

앞으로 기독교 콘텐츠를 글로벌화하고 디지털화해 수많은 교회가 연대해 복음 사역이 한 수준 더 업그레이드되기를 소망한다.

# 한자 기원에 관한 흥미로운 유추

『글자전쟁』
김진명 著 / 새움

김진명 작가는 치밀한 자료조사 끝에 작품을 써 사실인지 허구인지 혼동하게 한다. 이 같은 면모를 다시 한번 느낄 수 있는 그의 『글자전쟁』을 읽었다.

어릴 적부터 수재 소리를 듣고 자란 주인공 이태민은 오로지 돈을 위해 무기중개상이라는 직업을 갖는다. 국가 간 대립은 태민에게 그저 돈벌이 수단일 뿐이다. 그 후 태민은 한국에 돌아와 좋은 조건으로 취업해 승승장구한다. 그러던 중 동업자가 방산비리 혐의로 잡히면서 태민은 중국으로 도피하고, 새로운 인생의 전환점을 맞이한다. 중국에서 만난 소설가 '전준우'는 태민에게 USB를 남기고 피살된다. 태민은 USB 안에 있던 소설을 읽다가 그 소설이 단순한 허구가 아니라 역사적 비밀을 담은 내용이라는 것을 알게 된다. 태민은 전준우의 죽음과 관련된 소설에서 한자에 대한 비밀을 풀어 간다.

『글자전쟁』은 액자식 구성의 소설로, 한자의 기원인 갑골문자가 은나라 때의 것이고, 은나라는 한족이 아닌, 동이족이 세운 나라이니 한

자는 우리 글자가 아닌가 하는 의문에서 시작
한 작품이다.

은(殷)나라는 사마천의 『사기(史記)』 등에서
중국 역사로 기록되어 있지만, 고고학에서는
동이족이 세운 나라라고 말한다. 전준우는 소
설에서 한자가 우리 민족의 조상인 은나라의
동이(東夷)족이 만들었다는 것을 '조'라는 글자
를 통해 이야기한다.

은나라는 고구려와 같은 '풍장'의 장례문화를
가지고 있었다고 한다. 풍장에서 생성된 글자
가 '帠(조)'로, 사람이 활을 등에 메고 시체를
지킨다는 의미를 내포하고 있다. 후대에 문명
이 발달하면서 오래된 글자를 없애려고 만든
글자가 '弔(조)'로, 집에 상가임을 표시하는 수
건을 걸어놓은 형태를 띠고 있다.

'弔(조)'를 사용하는 후대인들은 이전 글자 '帠
(조)'의 전승을 막고자 그 글자를 사용하는 민
족을 말살한다. 소설 속 소설을 토대로 전준우
를 살해한 범인을 찾아가는 과정이 흥미롭게
전개된다.

이 책은 총과 칼로 이뤄지는 전쟁이 아닌 글
자를 없애 문화적으로, 정신적으로 종속하게
하려는 '글자전쟁'이 더 큰 위협이라는 작가의
메시지가 설득력 있게 담겨 있다.

"우리 동이족은 은나라를 산둥에 세웠지만 지
금에 와서는 남의 나라가 되어 있는 걸 눈 뜬

장님이 되어 바라보고 있어요. 게다가 한자도 처음 만들었지만 빌려 쓰고 있는 줄 알고 또 버리기까지 했고요. 우리는 중국 대륙에 있다 점점 쫓겨나고 밀려나 이제는 한반도 안에 갇힌 채 둘로 쪼개져 서로를 최대의 적으로 간주하며 살고 있는 거죠."(p.313)

역사는 해석에 따라 계속 바뀐다. 유물이 출토되고 새로운 사실이 발견되면 역사도 새로 써야 한다. 따라서 역사에 꾸준한 관심을 가져 우리 역사를 바로 세워야 한다.

## 그리스도인의 균형 잡힌 삶

『가족과 일과 신앙의 조화』
팻 겔싱어 著 / W미디어

우리가 지금 힘들게 살아가는 원인은 무엇인
가. 출세의 사다리를 딛고 올라서고, 남들에게
부를 과시할 수 있는 물질적 자산을 쌓고, 자
녀들을 일류 대학에 보내려는 그런 세속적인
성공을 위해 허둥대고 있기 때문이 아닐까. 지
금이라도 현대문명의 특징인 속도와 높이의
경쟁에서 벗어나 삶의 균형을 찾아야 한다.
이 도서는 저자 팻 겔싱어의 자전적 이야기다.
그는 가난한 이민 농부의 아들로 태어나 전문
대 졸업 학력으로 인텔에서 초고속 승진하였
는데, 15년 동안 매년 승진, 32세에 인텔 역
사상 최연소 부사장, 40세에 인텔 최초의 최
고기술책임자가 되었고 현재는 인텔의 데스크
톱과 서버 부문을 총괄하는 디지털 엔터프라
이즈 그룹의 사업본부장으로 일하고 있다.
그렇지만 삶의 최고 우선순위를 하나님에게
두고 살아왔고, 둘째 우선순위는 가족, 그리고
마지막 우선순위를 직장에 두면서 일과 휴식
의 균형을 꾀하면서 살아온, 자신 신앙의 간증
을 말하고 있다.
저자는 삶에서 균형을 찾는 데 이 책이 도움

이 되기를 바라고 있다.

한 사람이 테니스 공 세 개를 가지고 저글링을 한다고 생각해 보라. 그 공 가운데 하나는 하나님을, 다른 하나는 가족을, 나머지 하나는 일을 상징한다. 그게 바로 저자의 인생이었다. 그 공 가운데 어느 하나도 땅에 떨어뜨리지 않으려고 끊임없이 노력하고, 잠시도 멈추거나 쉴 시간 없이 살아왔다.

그 출발은 개인 사명 선언서에 있다. 자기 삶의 목표를 갖고 있는가? 그 목표에 어떻게 도달할지 전략이 있는가? 예정된 여정의 중요한 중간 이정표에 도달했다거나 길을 벗어났다는 사실을 확인할 수단이 있는가? 무엇을 성취하고 싶은가? 이런 질문을 바탕으로 작성해야 한다.

저자는 6페이지에 걸쳐 자신의 개인 사명 선언서를 소개하고 있는데 하나님을 우선하는 가치기준을 가지고 살아가면서, 이루어야 할 목표들을 제시하고 있다.

신앙적으로는 늘 말씀을 읽고, 기도의 시간을 갖고, 교회생활에 충성을 다 한다.

장로의 직분을 잘 감당하고 재정적으로는 소득의 절반 이상을 주님의 일에 쓰도록 목표를 세우고 있다.

가족을 위해서는 네 자녀를 위해 돌아가면서 일대일 아침식사를 하고, 가족 휴가를 함께하

며, 배우자와 단독 데이트 시간을 많이 갖고
재정문제는 서로 합의하는 원칙을 세우고 실
천한다. 직장에서는 책임진 일을 최선을 다해
하도록 노력한다.

신앙과 가족과 일을 조화롭게 하면서 하나님
의 영광을 위해 노력하다 보면 능력에 따라
높은 지위도 생기고 잘될 수도 있지 그것을
목표로 하는 인생이 되지 않아야 함을 이 책
을 보면서 느낀다.

이 세상에서는 비록 안 되고 힘들지라도 영원
한 천국을 소망하고 살아간다면 그것이 더욱
가치 있는 일이기 때문이다. 부수적으로 따라
오는 세상 결과에 너무 연연하지 말고 자신이
맡은 일에 최선을 다하면서 신앙생활, 가정생
활에 균형 잡힌 인생이 되기를 소망한다.

# 행복한 부자가 되는 방법

『아버지의 가계부』
제윤경 著 / 티비

『아버지의 가계부』는 소설 형식이지만 재테크 서적인 동시에 자기계발서다.

저자는 제20대 국회의원(비례대표)을 지낸 제윤경 씨인데 에듀머니(주) 대표이면서 재테크 관련 강사로도 유명하다.

주인공 '하늘이'는 아버지에게 가계부를 물려받는다. 아버지는 파산한 후 가계부 쓰기를 구차하게 여겼지만, 가계부를 계기로 현재 재무 상황을 정확하게 인식하고 목표에 집중하는 법을 배워 작은 것이라도 성취하는 기쁨을 느낀다. 그런 아버지를 존경하던 하늘이도 가계부를 이어받아 알뜰하게 생활한다.

하늘이는 죽마고우 넷을 만날 때마다 항상 돈 이야기만 하는 현실이 안타까워, 부부동반으로 여행을 가자고 제안한다. 바로 마흔이 되기 전에 미래를 위한 계획을 부부가 함께 생각해 보고자 여행을 마련한 것. 부부들은 하늘이가 준비한 프로그램에 따라 재무 상태를 공개하고 자신의 삶을 돌아본다.

-첫째 부부, 박광수 39세(증권사 과장), 김은정 37세(병원 원장)

-둘째 부부, 서문식 39세(대기업 과장), 이영란 36세(가정주부)

　-셋째 부부, 김재벌 39세(무역업 사장), 양은진 39세(초등학교 교사)

　-넷째 부부, 이하늘 39세(중소건설회사 감독), 김경숙 35세(은행 비정규직원)

　하늘이는 친구 내외에게 아버지의 가계부를 보여 주면서 돈을 많이 버는 것도 중요하지만 그보다 더 중요한 것은 돈의 관리라는 점을 알려 준다.

　겉으로 보기에는 부유해 보이지만 친구들의 재정 상태를 평가해 보니 누구 네는 고소득이지만 지나친 소비와 무계획적인 지출로 빚이 많고, 누구는 대기업에 다니지만 늘 조기 퇴직의 두려움을 안고 산다. 또 사업으로 한 방 인생을 노리다 안 되면 카드로 연명하고, 자녀 교육비로 대부분의 돈을 써서 노후가 걱정되는 자신들을 돌아보며 친구들은 마음이 무거워진다.

　하늘이는 친구들에게 진짜 행복한 부자가 되는 비법을 알려 주는데, 그것이 바로 가계부였다. 저자는 하늘이를 통해 "부자란 돈이 많아 명품만을 쇼핑하고 외제차를 굴리며 노른자위 땅 주상복합 아파트에 살기 충분한 재산을 가진 사람만이 아니다"라며 "미래에 대한 분명한 목표를 갖고 그 목표를 실현해 가면서 조금씩 목표를 높여 나가는 사람들도 모두 부자라 할 수 있고, 그들은 미래에 대한 구체적인 계획과 실천이 있기 때문에 소박하지만 든든한 오늘을 사는 부자들이다"라고 전한다.

재테크의 구체적인 방법은 시대에 따라 다를 수 있지만 가계부를 써서 목표를 세우고 계획적인 지출을 해야 건전한 부자가 된다는 사실은 변하지 않는 진리라고 생각한다. 우리 예수 믿는 자들도 신앙생활 하면서 천국에 이르는 목표를 가지고 현실적인 내 모습을 늘 돌아보고, 시간과 돈을 올바로 사용하여 세상에서 빛과 소금의 역할을 감당해야 할 것이다.

## 어떻게 소비할지를 고민하라

『다 쓰고 죽어라』
스테판 M. 폴란, 마크 레빈 著 / 해냄출판사

저자인 스테판 M. 폴란과 마크 레빈은 재정 설계사로 부동산 자산 관리를 조언하며 여러 매체에 글을 썼다. 『다 쓰고 죽어라』는 미국에서 1997년 출간돼 다음 해에 베스트셀러가 되었고 "전 세계 수백만 명의 인생을 뒤바꾼 재테크의 바이블"이란 평가를 받는다.

저자들은 삶을 마치고 떠나는 날, 내가 지금까지 보낸 시간에 감사하며 만족스럽게 살았다고 얘기할 수 있어야 한다는 삶의 철학을 전한다.

1장에서는 다 쓰고 죽기 위한 철학을 말한다. 대표적인 격언 네 가지를 배워 보자.

첫째, 오늘 당장 사표를 써라. 자유 계약 선수들은 팀의 일원으로서 최선을 다해 성실하게 일하는 동시에 최대 수입에 초점을 맞춘다. 일단 마음속으로 사표를 쓰고 나면 해고당하는 것은 두렵지 않다. 당신은 이미 다음 기회를 기다리는 자유 계약 선수다.

둘째, 현금으로 지불해라. 유행하는 제품이라고 해서 카드로 덥석 사들이지 말고 오래 간직할 수 있는 것을 현금으로 사야 한다.

셋째, 은퇴하지 말라. 요즘은 80~90세까지 살 수 있을 뿐 아니라 노년이 활동적이고 생산적인 나이가 되었다. 은퇴하겠다는 생각은 잊어버리자.

넷째, 다 쓰고 죽어라. 재산을 물려줘야 한다는 부담에서 벗어나, 현재를 사는 자신과 가족의 생활 수준을 높이는 일에 돈을 써야 한다. 유산을 남기겠다는 생각을 버리면 훨씬 풍요로운 삶을 누릴 수 있다.

2장에서는 다 쓰고 죽기 위한 실천 방법을 여러 가지 제안한다.

-카드를 잘라 버려라. 현금으로 지불해야 낭비를 줄일 수 있다.

-언제나 다른 일자리를 찾아보라. 현실에 만족하지 말고 더 나은 급여와 근무환경을 제공하는 일을 찾아라.

-주택이 아닌 집을 마련하라. 투기 대상인 건물이 아니라 여생을 행복하게 보낼 집을 마련하라.

-사랑과 돈을 분리하라.

결혼생활에 대해 생각하라.

-일찌감치 유언장을 민들어라.

자손에게 부담을 덜어 주라.

-소비를 힘들고 불편한 것으로 만들어라.

지갑이나 통장에 현금이 없으면 물건을 사지 마라.

-매주 계획한 만큼만 현금을 찾아서 사용한다면 무분별한 소비를 막을 수 있다.

-죽은 다음에 자신의 재산이 자식 또는 다른 사람들에게 도움이 되기를 바라는 것보다는 그들에게 가장 필요하고 도움이 될 때 사용하는 것이 중요하다.

예수 믿는 성도라면 무엇을 다 쓰고 죽어야겠는가. 바로 신앙생활 하면서 내게 주어진 시간을 최대한 잘 사용해 영혼의 때를 준비하는 것이 필요하다. 후손에게 물질을 물려주려고 육신의 중요한 시간을 보내지 말고 내 영혼을 위해 아낌없이 사는 것이 중요하다. 육신의 때를 낭비하지 말고, 또 은퇴하지도 말고 내가 받은 달란트의 유익을 충분히 남겨야 한다. 또 소중한 것을 위해 아낌없이 인생을 써야겠다고 다시금 생각한다.

# 목회 30년간 한결같은 진솔한 고백

『주님이 하셨습니다』
윤석전 著 / 연세말씀사

『주님이 하셨습니다』는 인간에게 주어진 고유한 권리인 '영혼 구원'을 위해 30년을 변함없이 달려온 우리 교회 윤석전 담임목사의 진솔한 고백을 담은 책이다.

윤석전 담임목사는 교회를 개척한 이래 해마다 한 해를 마감하면서 지난 잘못을 회개하고 새로운 한 해를 주님께 기도해 살겠다는 다짐을, 송구영신예배에서 칼럼 형식으로 성도에게 전해 왔다. 그 칼럼들을 모으고, 중간중간 목회 에피소드를 삽입해 지금까지 걸어온 목회 여정마다 주님이 하셨다는 고백을 들려준다.

"주님께서 내게 고통을 만나게 하신 것은 은혜 중의 은혜였습니다. 고통 중에 주님의 뜨거운 사랑을 발견했고 고통 중에 주님의 사랑에 뜨겁게 감사했고 고통 중에 주님의 섭리가 진행되었고 고통 중에 주님과 성도 앞에 어느 순간 변질된 나 자신을 발견해 회개했습니다. 고통이 내 평생 다시없는 유익이 되었으니 그저 감사, 감사할 뿐입니다."(p.58)

수없는 힘든 순간이 다가올 때마다, 몸이 아프고, 누명을 쓰고, 핍박을 당하고, 질시를 받아도, 모든 고통 속에서 오히려 주님께 감사하며 나아가 주님이 주신 힘으로 이겨 낸 간증이다.

윤석전 목사는 주님 일에 있어 조금이라도 잘못되지 않게 기도하고 노심초사하며 힘썼지만, 주님께 받은 은혜를 생각하면 늘 부족한 마음뿐이었다고 전한다. 언제나 주님의 은혜를 우선하는 삶을 느낄 수 있다.

"잠시 당하는 환난과 고통은 장차 올 영광과 바꿀 수 없다. 잠깐 누리는 육신의 안일을 얻고자 하루가 천 년 같은 고통을 영원히 당할 것인가. 누구든지 자기가 받은 하나님의 일을 속히 완성하고 미루지 말자. 그 날이 도적같이 닥쳐온 다음에는 땅을 치고 후회해도 소용없다."(p.177)

목회 에피소드 역시 은혜가 넘친다. 목회는 주님이 피 흘려 산 성도의 영혼을 돌보아 천국까지 인도하는 어떤 일보다 귀한 사역이기에 목사의 가족 누구라도 주의 일에 걸림돌이 되어서는 안 된다는 목양일념을 우선적으로 다뤘다. 재정담당자를 내보내라는 일부 성도의 불만, 순교를 각오하며 인도한 사모세미나, 수양관 구입, 금요철야예배 중 도끼를 던진 괴한, 물질을 초월해 사는 삶, 부흥회 사례를 받지 않게 된 사연, 고통 중에 만난 주님의 음성 등 30년 목회 여정에서 경험한 진솔한 고백이 실려 있다.

『주님이 하셨습니다』에는 아무도 모르는 담임목사의 한숨과 눈물이 담겨 있다. 항상 기도해야만 이길 수 있었던 마귀와 벌인 힘든 싸움과 수많은 성도를 향한 사랑과, 몸이 부서져라 충성하는 성도에게서 받은 위로가 있다. 지금껏 인도하신 주님 앞에 감사가 넘쳐 난다.

우리도 이처럼 주를 위해 아낌없이 살고 영혼의 때를 위해 쉼 없이 달려가기를 소망한다. 최후에 다음과 같이 고백하는 인생이 되기를 기도한다.

"감사합니다. 모두 주님이 하셨습니다!"

# 직원이 출근하고 싶은 회사를 만들려면

『훌륭한 일터』
조미옥 著 / 넥서스BIZ

책 띠지에 적힌 "우리는 천국으로 출근한다 -유토피아 경영의 핵심 이론"이라는 출판사 광고가 눈에 띈다. 직장인들이 출근길에 천국을 꿈꾼다면 그곳이 바로 훌륭한 일터다. 지은이 조미옥은 교육공학박사이며 'GWP(Great Work Place=훌륭한 일터) 조직문화'와 '서번트(섬기는) 리더십'을 소개하고 자기학습, 행복, 리더십 같은 다양한 콘텐츠를 강의 하고 있다.

"일터는 공동 목표를 달성하려고 모인 사람들이 함께 일하는 곳이다. 일터에는 조직을 이끌어 나가는 리더, 업무를 수행하는 구성원, 목표 달성을 위한 업무, 이 세 가지가 반드시 있다. 조직의 체계와 시스템, 제도는 리더와 구성원들이 업무를 효율적으로 추진하고 더 높은 성과를 창출할 수 있도록 지원해 주는 경영 도구일 뿐이다. 아무리 좋은 경영 비전과 핵심 가치를 만들어 놓더라도 구성원들이 일하면서 피부로 느끼지 못한다면 무용지물이다. 그래서 일터에서 느끼는 관계의 질은 조직의 목표 달성과 성과 창출에 직접적인 영향을 미

칠 뿐 아니라 가장 중요한 핵심 자원이다."(5~6쪽)

GWP는 'Great Work Place(훌륭한 일터)'의 약자로서 일하기 훌륭한 일터, 일하기 좋은 직장의 개념으로 사용되고 있다. 저자는 1980년대 미국에서 유학하면서 『일하기 가장 훌륭한 100대 기업』이라는 책을 보고 GWP 조직 문화를 공부했다. 일하기 가장 훌륭한 100대 기업의 공통점은 조직 내 두터운 신뢰와 강한 동료애를 가지고 재미있게 일할 수 있는 분위기라고 말한다.

"2002년에 '일하기 훌륭한 100대 기업'을 선정하는 글로벌 기준과 똑같은 기준을 적용해 '대한민국 훌륭한 일터'를 선정하면서, 한국 기업들이 신뢰 경영의 새로운 패러다임에 눈을 돌렸다. 오늘날 많은 기업이 세계적 기업을 꿈꾸고 신뢰 경영의 참의미를 실현하려고 노력한다. GWP 경영 이론의 역(逆)패러다임은 사람이 가장 중요한 자산이고 신뢰 관계가 기업의 지속적인 성장에 근간이 된다는 점을 그 어느 때보다도 절실히 느끼게 했다."(26쪽)

회사에서 사람을 중요시하고 신뢰 관계를 기본으로 한다면, 이직률이 감소하고 이직에 따른 모든 비용 또한 줄어든다. 신뢰를 통해 정보를 상호 공유하고 협력하고 높은 성과를 창출해 낸다. 또 리더는 직원들에게 신뢰를 주고

자 겸허한 자세, 열린 생각, 수용과 인정의 태도를 가지고 경청한다. 크고 작은 노력과 성과를 인정하고 칭찬해 준다.

그리고 정직을 바탕으로 일관된 성실성을 보이면 리더를 믿게 된다.

"일상 업무에서 리더가 보여 주는 권위적이고 일방적인 업무 지시, 의사 결정의 지연과 책임 회피, 그리고 구성원 간 갈등을 방관하는 리더십 행위는 구성원들의 신뢰를 잃는 가장 큰 요인이다."(155쪽)

감동이 묻어나는 즐거운 일터, 정직한 멋과 재미가 넘치는 일터, 직장인의 천국을 구현하는 일터, 미래가 있어 오늘이 즐거운 일터, 사람을 움직이는 세상, 이러한 문화 비전을 세우고 신뢰와 자부심 그리고 함께 일하는 재미를 추구하는 것이 좋은 기업이다.

"우수한 인재를 채용해 그들이 자신의 능력을 마음껏 발휘할 수 있도록 학습 환경을 만들어 주는 회사, 구성원들이 서로 성장하는 데 도움이 되어야 한다는 미션을 일상 업무에서 실천하는 회사, 구성원들에 대한 신뢰가 두터워 회사의 모든 재무 상황을 공개하고 정책 참여를 유도하는 회사, 바로 이런 곳이 진정한 GWP를 구현하는 회사가 아닐까?"(212쪽)

# 세상에서 아들을 가장 사랑한 아버지

『파리의 아파트』
기욤 뮈소 著 / 밝은세상

　『파리의 아파트』는 한국에서 14번째로 출간되는 프랑스 소설가 기욤 뮈소의 장편소설이다. 그가 쓴 소설 중에서 『당신, 거기 있어줄래요』는 2016년에 우리나라 영화로 제작돼 많은 사랑을 받았다.
　『파리의 아파트』는 심장마비로 죽은 천재화가의 집에 우연히 임대해 들어온 남녀가 겪는 다양한 사건을 통해서 사랑의 의미를 새롭게 새기고 있다. 줄거리를 간단히 요약하면 다음과 같다.
　전직형사 '매들린'과 극작가 '가스파르'는 임대회사의 전산착오로 같은 아파트에서 원치 않는 동거를 시작한다. 천재화가 '숀 로렌츠'가 그림을 그리며 살았던 곳인데, 벽에 걸린 사진, 신문스크랩, 화집, 평론집을 보면서 화가의 신비로운 삶을 접한다.
　그러던 중 '숀 로렌츠'의 친구이자 법적상속인인 '베르나르'에게 화가의 파란만장한 삶과 납치된 아들, 그리고 그가 마지막으로 그린 그림 석 점이 어디론가 감쪽같이 사라졌다는 이야기를 전해 듣는다. 흥미를 느낀 두 사람은 천재화가가 마지막으로 남긴 그림 석 점과 납치된 아들을 찾아 나서면서 천재화가의 부성애(父性愛)를 만나게 된다.

기욤 뮈소 특유의 가독성과 영화를 보는 듯한 자연스러운 장면 전환 덕분에 한시도 독자가 눈을 뗄 수 없게 한다.

"넌 오래전에 우리가 망각하고 지낸 소중한 가치들을 다시 찾게 해 주었어. 우리는 너로 인해 사랑, 소망, 평화, 신뢰 같은 가치들이 얼마나 중요한지 새삼 깨닫게 되었단다. 네가 이 글을 읽을 나이가 되면 알게 될 테지만 사실 네 엄마나 나는 그리 평온한 삶을 살아오지는 않았어. 우리가 함께 가정을 이루고 사는 삶이 내게 절실히 깨닫게 해 준 중요한 사실이 한 가지 있단다. 아이와 함께하면 그 이전에 겪었던 모든 불행을 잊을 수 있다는 사실이지. 너도 훗날 아이와 함께 가정을 이루게 되면 어느 날 갑자기 너를 지켜 주는 별들이 하늘에서 줄을 서는 모습을 보게 될 거야. 너의 실수, 너의 방황, 과오가 아이라는 한 줄기 빛과 함께 모두 용서가 되지."(본문 중)

『파리의 아파트』는 가족 간의 사랑을 주제로 다룬다. 자녀 덕분에 부부생활에 활력이 생기고, 시들해진 인생에 기쁨과 희망이 다시 솟아난다. 그런데 그 자녀가 납치되자 자녀를 사랑한 만큼 견딜 수 없는 고통이 찾아온다. 그

걸 노린 납치사건이 임대인 두 사람에 의해 밝혀지고 행방이 묘연하던 아이를 결국 찾게 된다.

『파리의 아파트』를 보는 내내 부모가 자녀를 얼마나 사랑할 수밖에 없는지 생각했다. 자녀이기에 그냥 사랑할 수밖에 없는 것이다. 한편으로는 부모의 사랑을 몰라주는 자녀 탓에, 부모 홀로 평생 짝사랑을 해야 한다는 생각도 들었다. 더불어 나를 사랑해 주는 사람에게 진실하게 응해야 한다는 예의도 생각했고, 지금 내 곁에 있고 나를 사랑해 주는 이들도 얼마나 소중한지 새삼 깨달았다.

책장을 덮으면서 하나님의 사랑을 생각해 봤다. 소설 속 천재화가도 자녀가 납치되었을 때 세상을 다 잃은 상실감을 경험했다. 똑같이 자신이 창조한 아담이 불순종해 망하게 되었을 때 하나님의 마음이 얼마나 아팠을까 생각해 보았다. 사랑할 수밖에 없기에, 품속의 독생자까지 주신 것 아닐까? 인간을 지극히 사랑하사 하나뿐인 아들마저 아낌없이 우리를 위해 보내 주신 하나님의 사랑을 기억하며 더욱 충성하고 하나님께 감사와 영광을 올려 드리는 우리 모두가 되기를 소망한다.

# 북한 동포들에게 하나님의 사랑을

『나의 목발이 희망이 될 수 있다면』
탈북민 지성호 著 알에이치코리아

　현 국민의힘 비례대표 국회의원이자 북한 인권 활동가로 살아가는 1982년생 탈북민 지성호의 『나의 목발이 희망이 될 수 있다면』을 읽으며 깊은 감동을 받았다. 미국 트럼프 대통령은 2018년 국정연설에서 "전 세계 희망의 상징"이라고 저자를 소개했고 이후 백악관에 3번이나 초대되는 주인공이 되었다.

　2019년 7월에 출간된 이 책은 총 5장으로 나뉜다. 1장 '고난의 행군이 시작되다'에서는 저자가 나고 자란 함경북도 회령시의 춥고 헐벗은 생활상을 설명한다. 1994년 김일성 사망 전후로 '고난의 행군'이라는 국가 식량 미공급 사태가 온 지역을 덮으며 도둑만 살아남을 수 있는 시절을 살았다.

　2장 '팔다리를 잃은 소년'에서 저자는 꽃제비로 석탄을 훔치다 다리가 절단되고 손이 잘린다. 극한의 고통을 참으며 마취도 없이 여러 차례 수술을 통해 간신히 살아남은 생생한 체험담이 독자의 마음을 미어지게 한다.

　3장 '세천역의 꽃제비들'에서는 세천역 주변에서 옥수수 도둑으로 생계를 이어 가던 일화가 소개된다. 아들의 의족을 마련하려고 중국으로 건너간 엄마를 찾아 저자가 탈북하면서 교회를 만나고 예수를 알게 되고 신앙생활을 시작하며 북한 실상을 더 자세히 알게 된다. 우여곡절 끝에 결혼을 하고 자녀도 낳고 키우면서 남한에 가서 인간답게 살고 싶다는 소망을 키운다.

4장 '1만 킬로미터의 여정'에서는 동생과 함께 실행한 탈북 과정이 나온다. 중국을 거쳐 미얀마, 라오스, 태국에 이르기까지 육로로 약 6천 킬로미터, 비행기로 4천 킬로미터를 날아 2006년 7월 한국 땅을 밟았다. 한국에서 모친을 만났지만 아버지는 탈북하다 잡혀 고문으로 죽고 부인은 다른 사람과 결혼하고 딸은 병으로 죽었다는 소식을 들었다.

마지막 5장 '북한 땅에 자유의 봄을'에는 한국에서 여러 인권 단체를 만들어 강연하고 북한의 인권 문제를 국제사회에 알리는 내용이 나온다. 저자는 신앙 안에서 진실은 언제나 강력하여, 오로지 진실만이 저 얼어붙은 북한 땅에 자유의 봄을 가져올 수 있다고 믿는다.

"북한 정권은 나쁘다. 나쁘다는 것을 알면서도 아무것도 하지 않는 것은 그만큼 나쁜 일이다. 나치만 나쁜 것이 아니라 나치의 만행에 침묵했던 모든 사람들이 나쁜 것처럼."(본문 p.272)

남한에 정착한 탈북자는 이제 2만5천 명을 넘었다. 북한은 세계 최빈국으로 남북 간 경제 규모는 40배 이상 차이 난다. 사람들에게는 통일이 이뤄 낼 장기적 효과보다 그 과정에서 남한이 감내해야 할 지난(至難)한 상황이 더 크게 와닿을 수 있지만, 한반도 북쪽 저 춥고 척박한 땅에도 우리와 같은 사람이 살고 있으니 하나님의 사랑으로 그들을 품어야 마땅하다. 그들을 위해 기도하고 그들을 위해 힘을 뭉치고 그들을 살리는 데 우리에게 주어진 시대적 사명을 감당하자. 지금 이 땅에서 사는 우리에게 주어진 좋은 기회를 놓치지 말자.

# 하나님의 구속사역을 이해한다

『구약성서개론』
최종진 著/토판출판사

　필자인 최종진 교수는 서울신학대학교 구약학 교수로 '구약성서개론'을 30년 이상 강의했다. 지금은 명예교수로서 우리 교회 신문인 '영혼의 때를 위하여'에 주기적으로 행복칼럼을 집필하고 있다.

　최근 출판사를 바꿔 발간한 『구약성서개론』은 한때 세계와 한국의 신학계를 강타했던 역사비평적(문서설) 자유주의신학 입장을 강하게 비판하면서 복음적인 입장에서 구약성서를 읽기 때문에 복음적인 신학교와 성도들에게 호응을 얻고 있다. 중국어(旧约圣经概论)와 러시아어(Введение в Ветхий Завет)로도 번역되어 중국어권과 러시아어권에서도 읽힌다.

　하나님은 심판의 날을 피하라고 구원의 길을 준비하신다. 그래서 노아 시대에는 방주를, 롯의 시대에는 소알성을 준비해 죽음의 현장과 멸망의 자리에서 그들을 구원하셨다. 세상을 경계하고 구별된 신앙의 끈을 맨 자들이 심판을 면하고 구원을 받았다. 구약성경은 하나님이 왜 세상을 만드셨는지, 왜 타락이 시작됐는지, 어떻게 해야 구원을 받을 수 있는지, 왜 구세주가 와야 하는지 아는 출발선이 되기 때문에 중요하다.

『구약성서개론』은 구약성경을 읽을 때 알고 있어야 할 중요한 정보를 제공하고 있다. 성서의 형성 과정, 성서의 보존과 전해지는 과정, 각 책의 저자와 연대, 역사적 배경과 목적, 전개 과정과 우리에게 주는 교훈 등을 다루고 있다.

하나님의 구속역사에서 구약은 서론이요, 기초와 뿌리라면 신약은 완성이요, 꽃과 열매다. 구약이 오실 그리스도에 대한 예고라면 신약은 오신 그리스도에 대한 기록의 책으로 서로 연속적 구속사건을 내포하고 있다. 그래서 모든 그리스도인에게 구약성서는 하나님의 구원사의 섭리가 간직된 하나님의 말씀이 된다.

구약을 계속해서 읽어내려 가다 말라기의 마지막 페이지에서 마태복음으로 책장을 넘기다 보면 450여 년간의 공백기를 만나게 된다. 이 책에서는 맺음말을 통해 구약과 신약의 중간사를 다루고 있다. 구약성서는 구속사적 입장에서 예수 그리스도에 그 초점을 맺고 있다고 결론짓는다.

매년 성경을 읽으리라 다짐하면서도 성경에 대해 모르기 때문에 성경을 가까이 하지 못한 성도라면 이 『구약성서개론』을 옆에 놓고, 안내서로 참고하면 구약을 이해하는 데 도움을 얻을 것이다. 구약성서가 없다면 이 세상이 어떻게 만들어졌는지 알 수 없고, 하나님이 어떻게 구원 사역을 시작하고 어떤 방향으로 섭리하시는지 알 수 없다. 성경을 읽으면서 하나님을 알고 나아가 하나님의 사랑과 뜻을 깨닫고, 인간을 지극히 사랑하사 하나뿐인 아들마저 아낌없이 우리를 위해 보내 주신 하나님께 더욱 충성하고 감사와 영광을 올려 드리기를 소망한다.

Part 6

# 기독교 문화를

## 소개했어요

## 은혜의 찬양 <그저 사랑하기 때문에>

*은혜의 복음찬송 이야기…CCM 찬양선교사 겸 작사·작곡가 김용호*

"내 마음에 감동을 주는 단어는
언제나 '예수 그리스도'입니다
그저 나를 너무 사랑하기 때문에
묵묵히 십자가를 지신
주님을 찬양합니다"

*하나님께 매 순간 기도하며 앨범 준비*
*앨범 통해 예수가 더욱 깊어지도록…*

CCM 찬양선교사 김용호가 작사·작곡한 '그저 사랑하기 때문에'는 우리 교회 양유경 자매가 자주 불러 익숙한 찬양이다. 찬양을 들을수록 가슴에 박히는 주를 향한 신앙 고백이 예수의 보혈로 구원받았다면 공감할 수밖에 없다. 듣는 이의 마음을 아리게 한다.

김용호는 서울 인광침례교회에서 찬양선교사로 활동했고, 소리엘 6집과 7집에 참여한 실력 있는 프로듀서다. 대중음악과 비교해도 손색이 없을 정도로 잘 만들어, 비신자들이 들어도 예수님이 누구시고 어떤 일을 하셨는지 궁금하게 된다.

김용호는 "오랜 시간이 지나도 내 마음에 항상 감동을 주는 단어는 언제나 '예수 그리스도'시다"라며 "예수께서는 사랑받을 수 없는 나를 위해 십자가를 지셨다. 그저 나를 너무나도 사랑하셨기 때문"이라고 간증한다. 또 "이 곡을 통해 내가 나타나는 것이 아니라 '예수 그리스도'가 나타나도록, 이 곡을 듣는 이마다 '예수 그리스도'를 더욱 깊이 만나도록 성령의 감동에 따라 작곡했다"고 겸손히 말한다.

### 감사할 수밖에 없는 이름 예수

찬양선교사 김용호는 4U(ForYou)라는 CCM 그룹을 결성하여 전국을 돌아다니며 집회를 했다.

30여 명 모이는 치악산 골짜기의 작은 교회부터 몇천 명이 모여 있는 큰 교회까지 갔다. 폭설이 내렸을 때 14시간씩 운전해서 절벽 같은 언덕도 올라갔고 청소년들이 환호하는 집회부터 청중 90% 이상이 60대 이상인 곳까지 찾아갔다. 깁스한 아이들이 휠체어를 타고 앞에 쪼르르 앉아있었던 병원에도 갔고 갓난아이부터 80세 노인분들까지 함께 있던 곳도 갔다. 하나님께서 보내신 곳에서 함께 울었고 기도했고 회복의 역사들을 체험했다.

하지만 부족함을 느꼈다. 생각보다 집회에 모인 이들은 가족의 상처가 깊었고 많은 사람의 마음속에는 사랑이 식어 있었다.

'*내가 이 땅의 가족을 너무나도 사랑한다.*'
'*내가 천하보다도 한 영혼을 더 사랑한다.*'
우리가 하나님의 마음으로 사랑하고 그 마음만 품을 수 있다면, 하나님께서 우리를 향해 내어 주신 그 사랑들을 잊지 않는다면⋯. 김용호는 고민하고 또 고민하며 하나님의 사랑을 전하고자 곡을 만들어 나갔다. 집회를 요청하는 곳이라면 어느 곳이든 최선을 다하려고 노력한다. 하나님께서 주신 사역이니 작은 모임이든지 큰 모임이든지 충실하게 준비해 가고 있다. 특별히 십일조 사역도 하고 있다.

10번에 한 번은 대가 없이 사역한다. 병원이나 군부대 교도소 등 소외된 곳에 꼭꼭 찾아가고 있다. 사역을 시작하고 변함없이 지켜온 원칙이다.

2007년에는 강연희, 김지훈과 '포유소울'이란 그룹을 만들어 트리오로 활동하다가, 2년 뒤 강연희가 1집 앨범을 내면서 '그저 사랑하기 때문에'를 만들어 수록했다. '그저 사랑하기 때문에'를 부른 강연희 또한 "찬양사역자로 활동을 이어 간 가장 큰 이유는 예수 그리스도"라며 "성대결절로 더는 노래할 수 없을 때 다시 일으키신 분이 예수 그리스도"라고 간증한다.

예수의 십자가 피의 공로로 구원받은 이라면 '그저 사랑하기 때문에'라는 제목만으로도 가슴이 벅차오른다. 우리를 죽기까지 사랑하셔서 십자가에 피 흘려 죽어 주신 예수 그리스도께 감사와 찬양과 영광을 올려 드린다.

왜 십자가를 지셨나
하늘 귀한 영광 버리고
왜 십자가를 지셨나
하나님의 아들임을 버리고
왜 물과 피 쏟으셨나
아무 죄 없으신 어린양
왜 물과 피 쏟으셨나
조롱 멸시하는 나를 위해
그저 사랑하기 때문에
너무 사랑하기 때문에
이토록 못난 날
이토록 약한 날
위하여 십자가를 택하셨네
수도 없이 주를 부인했는데
아버지의 곁을 떠나 방황했었는데
주를 향해 돌 던질 때
나도 함께 있었는데
사랑받을 것 하나 없는데
왜 날 위해
<그저 사랑하기 때문에>가 수록된 강연희 1집

## 예수님의 보혈로 <깨끗이 씻겨야 하리>

*은혜의 복음찬송 이야기…CCM 찬양사역자 이정림 집사*

하나님을 만나는 순간 그동안 내가
의지했던 것들이 무너져야
돌같이 굳어 버린 마음을 깨뜨리고
부서뜨리고 주님 앞에 새로이 서야

<깨끗이 씻겨야 하리> 찬양은 김소엽 권사가 가사를 쓰고 CCM 찬양사역자 이정림 집사가 곡을 붙였다. 다윗과 요나단 2집에 실렸다. "부서져야 하리 무너져야 하리 깨져야 하리 더 많이 깨져야 하리"라는 가사는 주의 만찬 장면을 떠올리게 한다. 예수께서 제자들에게 떡을 나눠 주시면서 "받아 먹으라 이것이 내 몸이니라"(마26:26)라고 말씀하셨다. 한글 성경에는 '떡'이라고 기록했지만, 영어 성경에는 '빵(bread)'이라고 나온다. 빵을 떼어 제자들에게 주셨는데, 그 말은 빵을 부셔서 제자들에게 나눠 주셨다는 뜻이다. 십자가에서 예수의 몸이 부서져야 우리가 영원히 살아난다는 의미가 담겨 있다.

마치 밀 한 알이 땅속 깊이 들어가 분해되고 부서져서 그 영양분으로 생명의 싹을 틔워

많은 열매를 맺는 것처럼, 예수님은 죄 없으신 분인데도 십자가에서 대신 죽으심으로 우리 죗값을 갚아 주셨다. 유대인이든 이방인이든 세상 모든 사람에게 영원한 생명을 주신 것이다. "다 버리고 다 고치고"라는 노랫말처럼 우리도 말씀을 듣고 콘크리트같이 굳은 교만과 아집을 깨달아 깨뜨리고 무너뜨리고 부서뜨리고 주님 뜻대로 다시 만들어져야 한다. 하나님을 만나는 순간 그동안 내가 의지했던 것들이 무너져야 한다. 죄로 더러워진 나를 예수님이 흘리신 보혈로 씻어야 한다. 돌같이 굳어 버린 마음을 깨뜨리고 무너뜨리고 부서뜨리고 주님 앞에 새로이 서야 한다.

"하나님 찬양할 수 있게
피아노 치게 해 주세요" 간절히 기도

이 곡을 작곡한 이정림 집사는 어릴 적부터 엄마를 따라 교회에 다녔다. 초등학교 4학년 때 친구가 교회에서 피아노 반주를 하는 것을 보고 피아노가 무척 치고 싶었다. 그 당시에는 피아노가 귀해 주일예배를 마치면 목사님이 피아노를 열쇠로 잠그셨지만, 간절히 부탁드려 피아노를 연습할 수 있었다. 피아노를 치기 전에 기도를 먼저 했다.

"하나님! 저, 하나님 찬양할 수 있게 피아노 치게 해 주세요."

당시에는 난방이 잘 되지 않아 겨울에는 몇 분만 건반을 쳐도 손이 꽁꽁 얼었다. 하지만 간절한 마음으로 열심히 연습하다 보니 찬송가 1장부터 끝 장까지 악보를 보지 않고도 척척 다 반주하게 됐다. 훗날 극동방송 PD들은 청취자들이 옛 복음찬송을 신청하면 자료가 없어서 쩔쩔 맸는데, 이 집사가 기억력을 발휘해 즉석에서 반주해 깜짝 놀랐다고 전한다.

### 건반에 손 얹고 간증하면서
### 밝은 목소리로 하나님을 찬양

이정림 집사는 "음대 출신도 아니고, 작곡을 공부하지도 않았지만 부족한 자신을 하나님께서 써 주시는 것이 감격스럽다"면서 "음악을 많이 배웠다는 사람들이 하나님을 찬양하지 않는다면 저라도 할게요! 저 같은 사람 써 주시니 영광입니다"라고 말한다.

어느 해에 이정림 집사는 전라도에서 열린 간증집회에 갔다가 신안군에 있는 1004개 섬에 미자립 교회가 많고 교역자도 없는 형편을 보고 하나님께 기도했다. "하나님! 1004개 섬을 다 돌며 전도할 때까지 찬양으로 사역하게 해 주세요!" 작은 체구에서 뿜어 나오는 이 집사의 우렁찬 찬양이 사람의 마음을 움직인다. 건반에 손 얹고 간증하면서 밝은 목소리로 하나님을 찬양하는 이정림 집사에게서 많은 사람이 하나님의 살아 계심을 느낀다.

주님은 우리에게 영원한 생명을 주시기 위해 자신의 몸을 부숴 우리에게 주셨으니 내 속에 있는 더러운 귀신의 역사, 콘크리트같이 굳어버린 자아라는 죄의 덩어리가 부서지고 무너지고 그리스도 예수의 보혈로 깨끗이 씻겨야 한다. 부서지고 무너지고 깨끗하게 씻어 하나님만 찬양하며 영광 돌리는 우리 모두가 되기를 소망한다.

<깨끗이 씻겨야 하리>
부서져야 하리 부서져야 하리
무너져야 하리 무너져야 하리
깨져야하리 더 많이 깨져야 하리
씻겨야하리 깨끗이 씻겨야 하리
다 버리고 다 고치고 겸손히 낮아져도
주 앞에서 정결타고 자랑치 못할 거예요
부서져야 하리 무너져야 하리
깨져야 하리 깨끗이 씻겨야 하리
<깨끗이 씻겨야 하리>가 수록된

다윗과 요나단 2집

## 의대생이 만든 복음찬송 <내가 주인 삼은>

*은혜의 복음찬송 이야기…CCM 작사·작곡가 겸 의사 전승연*

*"하나님이 찬양을 주셨습니다"*
*가사도 멜로디도 자신이 만들었지만*
*하나님이 주시고 만드시게 하셨으니*
*내 것 아니란 생각에 온라인에 공유*

*예배 도중 주님께 집중하는게 아니라*
*각자 생각에 잠긴 것 같은 느낌 받고*
*저녁 기도하던 중 감동 받아 만든 곡*

'내가 주인 삼은'을 작곡한 전승연 씨는 경희대학교 출신 의사다. 음악을 정식으로 배운 적이 없고, 대학교에 들어간 후 기타를 배워 간단한 반주를 하는 정도였다. 대학생선교회(CCC)에 소속해 의료선교단체인 아가페에서 활동했다.

*하나님이 주시는 감동으로 작사·작곡*
전 씨는 경희대 의대생 시절 의료선교단체인 아가페 연합모임에서 매달 한 번 드리는 채플 시간에 찬양 인도를 맡고 있었다. 2004년 어느 날 찬양 인도를 하다 문득 예배드리러 나

온 사람들의 마음이 흩어져 있다는 느낌을 받았다. 하나님께 예배드리는 데 집중하는 것이 아니라 각자 자신만의 생각에 잠겨 있는 것 같았다.

'과연 우리가 이런 모습으로 하나님 앞에 나가도 되는지….'

그날 저녁 집으로 가서 기도하던 중 전승연 씨는 '네가 주인 삼은 것을 모두 내려놓아라' '네가 사랑했던 것을 모두 내려놓아라'라는 감동을 받았다. 순간 가사에 걸맞은 곡조도 떠올라서 노래를 불렀다. 잊어버릴까 봐 MP3에 재빨리 녹음한 것이 '내가 주인 삼은'의 1절이었다.

며칠 후 수업을 마치고 집으로 가는 버스 안에서 말씀을 묵상하던 중 또다시 마음속에서 노래가 흘러나왔다. 후렴 부분에 해당하는 내용이었고, 이는 며칠 전 불렀던 노래와 딱 맞게 연결됐다. 전 씨는 곡 하나가 완전히 만들어진 것을 너무 신기해하며 완성된 곡을 녹음해 '홀리기타'라는 사이트에 올렸다. 처음에는 곡 제목을 '주 되심'으로 지었다. 내가 주인 삼았던 것, 사랑했던 것을 모두 내려놓고 하나님을 진정 나의 주님으로 고백하길 바라는 마음에서다.

온라인에 공유한 곡을 들은 여러 사람이 전승연 씨에게 연락했다. 예배 때 그 곡을 써도 되겠느냐고 물어보았고 흔쾌히 승낙했다. 곡을 공유해 나도 부를 수 있고 다른 사람도 부를 수 있다면 하나님이 주시는 은혜를 더 잘 기억할 수 있지 않겠는가. 이후 '다리 놓는 사람들' 예배자학교 강사가 이 곡을 예배 때 부르고 '예배인도자 컨퍼런스 2005' 실황앨범에 '내가 주인 삼은'이라는 제목으로 수록되었다.

전승연 씨는 자신이 만든 곡이지만, 곡의 운율이나 가사가 스스로 만든 것이 아니라고 생각한다. 하나님이 주시고 만드시게 하신 것이니 내 것이 아니라는 생각이 들어 그 후로는 곡을 독점하지 않고 자유롭게 나누고 있다.

*내가 주인 삼은 세상 모든 것 버려야*

이스라엘 백성들이 하나님의 강권적인 은혜에 힘입어 가나안으로 출애굽했다. 하지만 광야에서 수없이 원망과 불평을 했다. 물이 없다고, 고기가 없다고, 춥다고, 배고프다고, 덥다고 모세에게 대항했다. 이런 가운데 주님께서는 반석에서 물이 나게 하시고, 메추라기와 만나를 먹이시며 구름기둥과 불기둥으로 인도해 주셨다.

처음 주님을 만났을 때 경험한 구속의 은혜를 기억해야 한다. 죄로 말미암아 지옥 갈 수밖에 없는 나를 살리려고 하나님께서는 독생자 아들 예수를 이 땅에 보내셔야 했고, 예수께서 십자가에서 우리 죄를 담당하고 대신 죽어 사망의 죗값을 치러 주신, 그 큰 사랑을 생각해야 한다.

이 사실을 알리기 위해 성령 하나님은 초대교회 수많은 제자와 성도의 순교의 발자취를 통해 나에게까지 복음을 전해 주셨으니 세상에 속해 살던 나를 들어 하나님 앞에 온전히 내어 줄 수 있어야 한다. 내가 주인 삼은 세상의 모든 것을 버리고 하나님과 나 사이에 쌓은 확고한 신뢰 위에 더욱더 하나님만 사랑하겠다는 고백이 찬양을 부르는 이들 마음속에서 묻어나길 소망한다.

<내가 주인 삼은>
내가 주인 삼은
모든 것 내려놓고
내 주 되신 주 앞에 나가
내가 사랑했던 모든 것
내려놓고
주님만 사랑해
주 사랑 거친 풍랑에도
깊은 바다처럼 나를 잠잠케 해
주 사랑 내 영혼의 반석
그 사랑 위에 서리

# 시편 42편에 영감 받아 만든 <목마른 사슴>

*은혜의 복음찬송 이야기…미국 가수 겸 작곡가 마틴 니스트롬*

> *교회음악 사역자로 수년째 활동하다*
> *지친 맘 다잡으려 금식기도하던 중*
> *시편 가사 마음에 새기며 곡 써 내려가*
> *1990년대 국내에도 소개 돼 큰 감동*
> *사슴이 시냇물을 찾아 갈급한 것처럼*
> *내 영혼도 주님 찾기에 갈급한지 묻고*
> *주만 의지하겠다는 신앙 고백 올려 드려*

가수 겸 작곡가인 마틴 니스트롬(Matyin J.Nystrom)은 1956년 미국 북서부 워싱턴 주 시애틀에서 태어났다. 오랄 로버츠 대학(음악교육학 전공)을 졸업한 후 뉴욕에 있는 기독교 단체에서 음악감독으로 일했다.

1981년 여름휴가 기간, 교회음악 사역자로 수년째 활동하면서 지쳐 있던 마틴은 자기 신앙을 다잡으려고 친구들과 금식 기도를 했다. 19일째 금식 기도하던 날 마틴은 성령께 인도받아 악보대에 펼쳐져 있는 성경을 보게 된다. 시편 42편이었다. 가사를 마음에 새기면서 영감받은 대로 곡을 써 내려갔다.

마틴은 이 곡을 마음에 간직하고 싶어 완성

한 후 누구에게도 공개하지 않았는데 유일하게 곡을 공유한 친구 데이브가 학생들에게 노래를 가르치면서 알려져 전 세계에서 불리게 되었다. 바로 '마라나타 프레이즈'사에서 출판한 <목마른 사슴>이다. 우리나라에도 1990년대에 번역되어 수많은 성도가 함께 찬양하며 큰 감동을 받았다.

*목마른 사슴 시냇물을 찾아 헤매이듯이*
*내 영혼 주를 찾기에 갈급하나이다*
*주님만이 나의 힘 나의 방패 나의 참소망*
*나의 몸 정성 다바쳐서 주님 경배합니다*

*금보다 귀한 나의 주님 내게 만족 주신 주*
*당신만이 나의 기쁨 또한 나의 참보배*
*주님만이 나의 힘 나의 방패 나의 참소망*
*나의 몸 정성 다바쳐서 주님 경배합니다*

하나님을 갈망하는가
시편 42편은 고라의 후손 중 궁중 음악가로 활동하던 사람이 지었다. 시편 기자는 압살롬의 반역을 피해 다윗과 함께 도망가던 무리에 속했던 듯하다. 당시 전세는 불리했다. 민심은 젊고 매력적인 압살롬 왕에게 돌아갔다. 다윗은 아무런 준비 없이 소수의 사람들과 광야로 피신했다. 고라의 후손들도 다윗 왕과 함께 오직 하나님의 도움만을 의지했다. 시편 42편을 기록한 기자는 마치 목마른 사슴이 광야에서 시냇물을 찾는 것처럼 하나님의 도우심을 갈망했다.

"하나님이여, 사슴이 시냇물을 찾기에 갈급함 같이 내 영혼이 주를 찾기에 갈급하니이다 내 영혼이 하나님 곧 생존하시는 하나님을 갈망하나니 내가 어느 때에 나아가서 하나님 앞에 뵈올꼬... 내 영혼아 네가 어찌하여 낙망하며 어찌하여 내 속에서 불안하여 하는고 너는 하나님을 바라라 그 얼굴의 도우심을 인하여 내가 오히려 찬송하리로다"(시42:1~5).

사슴은 풀을 먹지 않고는 일주일 이상 견디지만 물 없이는 그리 오래 버티지 못한다. 사슴은 살기 위해 마른 목을 축일 시냇물을 찾아 깊은 산속을 헤맨다. 만약 삼사 일간 시냇물을 찾지 못한다면, 목숨을 부지할 시간이 그리 많지 않다. 고라 자손은 그런 목마른 사슴에 빗대어 하나님을 찾는 자기 영혼의 처지를 애절하게 노래했다.

과연 우리는 그런 애절한 심정으로 하나님을 찾고 있는가? 오늘 드리는 예배를 통해 하나님께 생명을 공급받지 않으면 내 영혼이 죽는다는 절박한 심정으로 예배드리는가? 구원의 기쁨과 감사. 진정 소중한 것들을 소중하게 생각해야 한다.

코로나19로 인해 예배드릴 수 있는 환경이 매우 제약받고 있다. 함께 모여 소리 높여 찬양하고 기도하고 말씀 듣는 시간이 그리워질수록 더욱 사무치는 말씀과 예배, 하나님을 향한 간절함이 이 찬양을 부르는 우리 모두에게 넘치길 소망한다. 약하고 힘들수록 더 이길 수 있는 힘을 주시는 주님으로 인해 감사와 영광과 찬양을 하나님께만 올려 드린다.

# 위대한 예수의 사도 그린 영화

*영화 <바울, 그리스도의 사도>*
*예수 그리스도의 십자가 사랑을 따르는 길*

> *자신을 박해한 사람들을 향한 미움과*
> *복수심을 버리고 "원수를 사랑하라"는*
> *예수의 복음을 전파하기 위해*
> *어떤 희생도 마다하지 않았던*
> *사도 바울과 누가의 신앙 보여줘*

2년 전 부활절을 앞두고 개봉한 영화 <바울, 그리스도의 사도>(이하 <바울>, 어펌필림, 앤드루 하얏트 감독)는 네로 황제 시대에 극심한 박해에도 믿음을 지킨 크리스천과 감옥에서도 복음을 지키고 성도를 격려한 바울의 모습을 그렸다. 사도 바울 역은 연기파 영화배우 제임스 폴크너가 맡았고, 바울의 동역자인 누가 역은 <패션 오브 크라이스트>에서 예수 역할을 맡았던 제임스 카비젤이 열연했다. 철저한 고증을 위해 초고 대본이 150페이지를 넘겼고, 수년에 걸친 조사 작업에 학자와 목회자의 고증까지 거쳤다.

*네로 황제의 핍박과 바울의 순교*
영화 <바울>은 기독교 전파에 가장 크게 기여한 인물인 바울의 마지막 생애를 집중적으

로 조명한다. 예수 그리스도가 부활한 지 30여 년 후인 67년, 로마제국 황제 네로는 자신의 광기로 일어난 대화재의 원인을 기독교인에게 돌리고 극심한 박해를 가한다. 바울 또한 방화의 주범이라고 누명 씌워 옥에 가둔다.

당시 로마에서는 기독교인을 화형에 처해서 길거리 등불로 썼다. 기독교인을 길 군데군데 세운 봉 위에다 매달고, 산 채로 기름을 부은 후 불붙여서 진짜 '인간 횃불'로 썼다. 짐승의 먹이로 던져주거나 사지를 찢어 죽이기도 하고, 엄마 앞에서 아이를 죽이기도 했다. 기독교인은 박해를 피해 바울의 동역자인 브리스길라와 아굴라 부부 집에 모이고, 두려움과 굶주림 속에서도 간절한 기대와 소망을 품고 살아간다.

바울 하면 빼놓을 수 없는 인물이 사복음서 중 『누가복음』을 쓴 의사 누가다. 바울이 채찍에 맞고, 옥에 갇혔을 때 바울의 동역자인 누가는 옥에 찾아가 채찍에 맞아 찢긴 바울의 등을 정성스럽게 닦아 주고, 바울의 일생을 기록으로 남겨 전하고자 힘쓴다.

*믿음의 동역자인 의사 누가*
*'사랑으로 이기라' 권면*

당시 그리스도 공동체는 다가오는 죽음의 그림자와 공포를 느끼면서 분열되고 있었다. 일

부는 네로 정부를 대항해 싸우고 네로를 타도해야 한다고 외친다. 그러나 바울은 공동체를 위협하는 자들에게 보여줄 것은 사랑이라고 말한다. 누가 또한 바울의 말을 따라 사랑만이 유일한 길이라고 설득한다. 십자가에서 죽으시고 부활하신 예수가 사랑을 보여 주었고 바울은 주님에게서 오래 참는 법을 배웠기 때문이다.

'누가'는 사자(獅子) 밥으로 경기장에 나가는 옥에 갇힌 기독교인에게 잠시 잠깐의 고통 뒤에 올 영원한 천국의 안식을 말하며 '주님 사랑으로 육신의 아픔을 이기라'고 권면한다. 자신을 박해한 사람들을 향한 미움과 복수심을 버리고 "원수를 사랑하라"는 예수님의 복음을 전파하기 위해 어떤 희생도 마다하지 않았던 두 사람의 신앙을 보여줌으로 영화 <바울>은 복음에 대한 중요한 깨달음과 메시지를 전하고 있다.

### 바울의 마지막과 천국의 소망

바울은 마지막 옥중서신 『디모데전후서』를 써서 누가를 통해 교우들에게 전한다.

"관제와 같이 벌써 내가 부음이 되고 나의 떠날 기약이 가까왔도다 내가 선한 싸움을 싸우고 나의 달려갈 길을 마치고 믿음을 지켰으니 이제 후로는 나를 위하여 의의 면류관이 예비되었으므로 주 곧 의로우신 재판장이 그

날에 내게 주실 것이니 내게만 아니라 주의 나타나심을 사모하는 모든 자에게니라"(디모데후서 4:6~8).

바울의 참수(斬首) 장면은 처연하고 숙연하다. 바울이 머리를 단두대에 올리자 처형 집행인이 칼을 높이 쳐들어 내려친다. 이후 바울은 자유로운 영혼이 되어 순교의 피를 뿌린 그리스도의 형제들과 감격스러운 재회를 한다. 저 언덕에서 바울이 그렇게도 그리고 사랑하고 보고 싶었던 예수님이 옷깃을 날리며 걸어오고 계셨다.

상영 시간 107분 내내 바울을 비롯해 순교하는 초대교회의 성도들을 만날 수 있다. 누가는 바울의 전도 여정을 기록한 『사도행전』 책을 마친 후 이를 필사하여 널리 퍼져 있는 그리스도 공동체에 전달한다.

환난의 때일수록 더욱 사무치는 하나님 나라로 인해 능히 이기기를 소망한다. 바울과 누가를 사용하여 초대교회 믿음의 역사를 알게 하고 다함 없는 주님의 사랑을 깨닫게 하신 주님께 모든 감사와 영광과 찬양을 올려 드린다.

Part 7

# 성지순례기

## (고난주간)

## 감람산에서 본 예루살렘…

*"여전히 주님은 울고 계신다"*
*성경 속 내용 눈으로 확인하니*
*느낌이 확연히 달라,*
*젖과 꿀이 흐르는 진정한 성지는*
*성도임을 깨달아*

&lt;사진설명&gt; 예루살렘 성 주변 전경

이스라엘 성회 참가단으로 2011년 10월 24일(월) 인천공항을 출발했다.

베들레헴에서 3일간 영적각성 대성회에 참석하여 윤석전 담임목사의 설교 말씀으로 은혜 받고, 이후 일정은 성경에 나오는 예수 그리스도의 발자취를 따라 성지순례를 했다.

우리 일행은 인천 공항에서 비행기를 타고 9시간 이동하고 사우디아라비아 두바이공항에서 비행기를 갈아타고 3시간을 더 간 후 요르단 암만공항에 도착했다.

이후 육로로 이스라엘로 입국했는데, 이스라엘 현지까지 다섯 번이 넘는 검문을 통과해야 했다. 이스라엘 베들레헴 호텔에 도착하고 시간을 계산해보니 꼬박 24시간을 이동했다. 간단히 저녁을 먹고 성회에 참석해 은혜를 받았다.

*둘째 날부터 본격적인 성지순례를 시작했다.* 예루살렘 성을 중심으로 통곡의 벽과 베데스다 연못, 안나교회, 십자가의 길(비아 돌로로사), 마가 다락방, 베드로 통곡교회 등을 둘러보았다.

통곡의 벽(Wailing Wall)은, 헤롯대왕이 60여년에 걸쳐 지은 성전이 로마군에게 파괴되고 남은 '서쪽벽(Western Wall)'의 일부라고 한다. 유대인들이 성벽 앞에 모여 성전이 파괴된 것을 슬퍼했기 때문에 '통곡의 벽'이라는 이름을 지었다는 설도 있다. 어찌됐건 지금도 이 벽에서는 많은 유대인이 기도하고 있다. 하나님께 선택받은 민족이지만 예수를 알지 못해 구원의 길로 가지 못하는 그들을 보며 오히려 슬퍼하실 하나님의 마음이 느껴져 내 마음도 아팠다.

예수께서 빌라도에게 사형선고를 받고 그곳에서 십자가를 메고 골고다 언덕까지 오르신 길을 '비아 돌로로사(Via Dolorosa, 슬픔의 길)'라고 한다. 십자가 길은 총 14지점이 있는데, 제1지점부터 제9지점까지는 십자가를 지고 가신 길을 따라 있고, 제10지점부터 제14

지점까지는 거대한 무덤교회인 성묘교회 건물 안에 있다.

1~9지점을 가는 길 양옆으로 아랍 모슬렘이 운영하는 수많은 상가가 즐비하게 놓여있다. 관광 상품을 파는 세속적인 번화가가 되어 슬픔의 길이라기보다는 시끌벅적한 장터가 연상돼 우리의 죄를 대속하려 십자가 길을 걸어가신 주님의 마음을 더욱 슬프게 만들었다.

*셋째 날에는 기드론 골짜기, 힌놈의 골짜기, 다윗 성, 히스기야 터널, 실로암 연못, 침례요한탄생기념교회, 엘리사벳방문교회 등을 순례했다.*

기원전 701년경, 앗수르 침입에 대비하여 히스기야 왕이 성 밖에 있는 기혼 샘을 적들이 사용하지 못하도록 물길을 성안으로 끌어오려 터널을 만들었는데 이 터널을 히스기야 터널이라고 한다(왕하20:20). 폭 60㎝ 정도인 좁은 공간에서 횃불 그을음과 사방으로 튀는 돌가루를 뒤집어쓴 채 청동제 도끼로 바위를 쪼아 총 길이 533m에 이르는 구불구불한 터널을 완성했다니, 당시로서는 가히 놀라운 터널 공사였다.

*넷째 날에는 감람산, 벳바게교회, 승천교회, 주기도문교회, 눈물교회, 겟세마네동산, 만국교회, 소렉 골짜기 등을 순례했다.* 벳바게라는 지명에서 '바게'는 무화과나무를, '벳'은 집을

의미하니 '벳바게'는 무화과나무 집이라는 뜻이다. 무화과나무는 3~4월경에 작은 열매를 한번 맺고 7~8월에 진짜 맛있는 열매를 맺는다. 3~4월경에 열리는 작은 열매를 따주어야 나중에 진짜 열매가 잘 맺는다. 그래서 첫 열매는 누구나 따서 먹을 수 있다고 한다. 예수께서 벳바게 지역을 지나가실 때는 대략 3~4월경으로, 무화과나무에 작은 열매가 없음을 저주하시자 그 나무는 말라버렸다. 작은 열매가 열리지 않는 무화과나무는 진짜 열매도 맺지 않기에 말라도 상관없다.

결국 때가 되어도 첫 열매가 열리지 않은 것은 나중에도 열매가 열릴 리 없어 결국 버려지게 된다는 것을 보여주는 사건이라고 할 수 있다.

성경을 읽을 때 저주받은 무화과나무를 보면서 안됐다고만 생각했는데, 현지에 와서 사정을 알고 성경 내용을 상고하니 이해가 잘 됐다.

감람산 서쪽 기슭 근처에 겟세마네 동산이 있다. 그곳에는 올리브나무가 많이 자라고 있으며, 그 옆에 만국교회(겟세마네기념교회)가 있다. 겟세마네 동산에서 땀방울이 핏방울이 되도록 기도하신 주님을 기념하여 만든 교회지만, 교회 기둥에는 마태, 마가, 누가, 요한을 상징하는 조각상이 더 돋보인다. 주님은 없고 성인만 추켜세우는 가톨릭의 잘못된 신앙이

여실히 드러나는 듯했다.

*다섯째 날에는 소돔 지역, 소금기둥, 마사다* 케이블카, 사해사본이 발견된 쿰란 동굴, 삭개 오가 올라간 뽕나무, 엘리사의 샘 등을 보고, 사해(死海)를 체험하는 기회가 있었다. 소금 기둥은 롯의 아내를 상징하는 모양으로 예벨 우스돔이라는 소금 산 위에 우뚝 솟아 있다. 성경에 나오는 롯의 아내라고 부르기에는 모 양이 크고, 소알 동쪽에 있어야 하는데 서쪽에 있는 등 논란의 여지가 많지만 롯의 아내 사 건에서 전해주는 메시지를 듣고 의미를 되새 기는 기회로는 좋았다.

'뒤를 돌아본다'는 것은 자신이 가지고 있는 재산, 인맥, 조건 등에 의지하는 것을 의미하 는 동시에, 뒤처진다는 뜻도 있다. 신앙생활을 하지 않고 세상을 의지하거나 뒤처진다면 환 란 날에 벗어나지 못하고 망하게 된다는 것을 보여주는 사례다.

*육일 째에는 므깃도(아마겟돈), 나사렛, 수태* 고지교회, 요셉교회, 가나혼인잔치교회 등을 순례하였다.

*칠일 째에는 고라신, 하솔, 가이사랴빌립보,* 가버나움, 팔복교회, 오병이어기념교회 등을 방문하고 갈릴리 선상에서 예배드리고 주의 만찬식도 하였다.

갈릴리 호수 북서부 해안 지역에 있는 팔복

교회에서는 팔복의 의미를 새겨보았다. 산상수훈를 전한 지역에 기념교회가 있는데, 몇 번이나 파괴와 재건을 거듭하여 현재 위치에 자리 잡았다. 교회 팔각 돔 각 벽에는 여덟 가지 복의 말씀이 라틴어로 쓰여 있다.

갈릴리 해변을 배경으로 보면 유럽의 멋진 휴양지에 온 느낌이 들 정도로 아름다운 이곳에서 복 있는 사람에 대하여 생각하면서, 2000년의 세월이 지난 지금의 내가 참으로 복 받은 사람이구나 하는 생각을 했다. 당시 그 말씀을 받은 수많은 무리와 그 후손은 예수를 메시아로 믿지 못해 때리고 십자가에 못 박아 죽였고, 지금까지도 그 민족은 구주를 영접하지 못하고 있다.

하지만 나는 천국의 소망을 가지고 예수를 나의 구세주로 모시며 신앙생활 하고 있기에 감사한 마음뿐이었다. 이 마음이 변치 않고 죽을 때까지 재림하실 주님을 위한 신부의 자격을 갖춘 믿음의 사람이 되자고 스스로 다짐해 보았다.

*팔일 째에는 요르단 거라사 지역, 얍복 강을 둘러보았다.*

*구일 째에는 세계문화유산으로 지정된 페트라를 비롯한 요르단 지역을 순례했다.*

십일 째에는 침례 요한이 참수당한 헤롯의 별장이 있는 마케루스 요새 순례에 이어 마지막으로 느보 산에 올랐다.

느보 산에서는 모세의 생애에 대해 깊이 느껴보았다. 젖과 꿀이 흐르는 가나안 땅에 가려고 40여 년간 험난한 광야 여정을 보낸 모세는 목적지 가나안을 눈앞에 두고 느보 산에서 죽음을 맞이했다. '율법'을 상징하는 모세가 '복음'을 상징하는 여호수아에게 바통을 넘긴 이 사건을 통해, 율법으로는 구원받지 못하고 복음으로 구원받는다는 것을 상징적으로 보여준 사건임을 깨달았다.

수많은 믿음의 선진이 이름 없이 빛도 없이 신앙의 길을 걸어와 우리에게 복음의 발자취가 흘러왔기에 오늘날 우리가 예수를 알고 믿고 신앙생활 할 수 있게 된 사실에 감사할 뿐이다. 비록 지금은 성지 곳곳이 아랍인의 장사터로 전락해버렸지만 그럼에도 우리는 그 의미를 되새기며 하나님이 주시는 메시지를 듣고자 긴장의 끈을 놓지 않았다. 성지순례 기간마다 매일 아침저녁으로 예배드리고 기도회를 하고 그날그날 하나님이 주시는 목소리를 사모했다. 교회에 돌아오니, 그 척박한 땅에서 복음을 알지 못하고 살아가는 그들이 불쌍하고, 우리같이 좋은 교회에서 늘 신령한 양식을 먹으며 신앙생활 하는 것에 감사가 북받쳐 올랐다. 성지순례 하는 동안 인도해주신 하나님께 모든 영광 올려드린다.

예루살렘 현지 성회 장면

겟세마네 동산 감람나무 숲

통곡의 벽에 꽂혀있는 각종 기도문

베데스다 연못 발굴터

비아돌로로사(슬픔의 길) 11처소
- 예수님이 십자가에 못박히심

넷째 날 감람산에서 성지순례 기념사진

# [고난주간] 예수 십자가 사건 현장에서

*고난주간을 맞아 예수의 고난이*
*다름 아닌 '내 죄'때문임을 기억하고*
*그리스도와 함께 십자가에*
*못 박히는 마음으로 모든 고난을 소유해야*

고난주간은 사순절 40일 중 마지막 1주일에 해당하는 기간인데, 예수 그리스도께서 예루살렘으로 승리의 입성을 하신 종려주일부터 부활주일 전 토요일까지를 말한다. 예수의 마지막 1주일인 고난주간에는 공생애의 절정을 이루는 대사건들이 숨 막히게 전개되었다.

예수 그리스도께서 유대인에게 붙잡혀 대제사장 가야바, 로마 총독 빌라도에게 신문을 받고 결국 십자가형을 선고받았다. 로마 병정들에게 채찍질당하신 예수는 자신이 처형될 십자가를 지고 '슬픔의 길(Via Dolorosa)'을 따라 골고다(갈보리) 언덕에 올라가셔서 십자가에 못 박혀 죽으셨다.

고난주간은, 들림받을 믿음을 갈구하는 성도에게 예수의 십자가 사건을 소유하게 한다. 예수께서 로마 군병에게 넘겨져 살 찢기고 뼈가 드러날 만큼 심한 채찍질을 당하고 침 뱉음과 온갖 모욕을 당하고 결국 십자가에 못 박혀 죽으신 일이 '나'와 도저히 뗄 수 없는 사건임을 확인하는 절기다.

*"우리가 항상 예수 죽인 것을 몸에 짊어짐은…"(고후4:10).*

예수 그리스도를 진정 만나지 못한 사람은 이 말씀을 이해하지 못한다. "나는 그 자리에 있지도 않았는데 왜 내가 예수를 죽였느냐"고 반문한다. 그러나 예수를 채찍질한 것이 다름 아닌 '내가 짓는 죄' '남을 함부로 판단하고 정죄한 독설', 그 결과로 당해야 할 '질병', '내 부끄럽고 추악함 그 자체'였음을 깨닫는 순간, '내가 예수님을 죽였다'는 현실에 눈을 뜨게 된다.

역사적 고증을 참고하면, 로마 군병들의 채찍 형벌은 사형은 아니었지만 형 집행 도중 많은 이가 죽었다. 채찍질 한 번에 갈비뼈가 드러날 만큼 살이 심하게 패여 장정이라도 대부분 사망에 이르렀다고 한다. 의학적으로는 그렇게 채찍에 맞고 다시 십자가에 매달리러 간다는 것은 불가능에 가깝다. 어쩌면 당시 제사장과 바리새인들은 예수님이 채찍에 맞다가 죽음으로써 자기들 손에 직접 피를 안 묻히고 '형 집행 중 사고사'하기를 바랐는지도 모른다.

*"저는 그 앞에 있는 즐거움을 위하여 십자가를 참으사…"(히12:2).*

한 대, 또 한 대, 그리고 또 한 대…. 채찍

과 갈고리들이 살점을 후벼 팔 때마다 우리 주님이 바라보신 것은 무엇이었겠는가.

'이 고비만 넘기면 승리다. 내가 이렇게 고통당할 때마다 나의 자녀들이 산다. 질병에서 해방된다. 죄와 사망의 법에서 해방된다. 지옥에서 영원히 형벌받을 저주를 끊고 나와 함께 영원히 행복하게 살 수 있다. 사흘 만에 부활해서 나의 자녀들을 사망 권세자 마귀의 손아귀에서 합법적으로 구할 수 있게 된다. 참자. 지금은 저들이 나를 부끄러워하고, 나를 모르고, 나를 욕하고, 나를 미워하고, 나를 함부로 말하지만, 사랑한다. 다 이룰 때까지 조금만 더 참자.'

이 세상 어떤 것과 비교할 수 없는 강렬한 소망과 사랑의 의지가 사람으로 오신 예수의 육체적 한계를 초월해 골고다 언덕까지 십자가를 지고 가게 했다. 구레네 시몬을 시켜 중간에 십자가를 대신 지고 가게 한 것도, 주님의 몸은 숨이 끊어져도 이상하지 않은 상태였기 때문이었다.

우리 교회에서는 고난주간마다 성회를 연다. 교회에는 다니지만 십자가 사건을 머리로만 알 뿐, '나'와 상관없는 역사로 아는 이들에게, '나의 사건' '내가 죽인 예수'를 깨닫게 하고자 담임목사는 성령의 감동을 따라 영적인 깊은 말씀을 나누고 부활절을 준비하게 한다. 하나님의 깊은 사정을 잘 아는 성령께서는 성령의 감독자로 세운 담임목사를 통해 '예수께서 2000년 전 골고다 언덕에서 십자가에 못 박힌 것보다, 빌라도 병영 뒷마당에서 채찍에 맞은 것보다, 가야바의 뜰에서 뺨 맞고 침 뱉음당하고 모욕당한 것보다 수제자 베드로가 예수를 모른다고 세 번이나 저주하고 부인한 것이, 그리고 자신이 체포되자마자 뿔뿔이 흩어져 도망간 제자들의 배신이 더 아팠다'고 말한다.

제자들이 배신할 줄 뻔히 알고도 사랑하되 끝까지 사랑하신 예수님, 그 예수 그리스도의 영이 지금 우리에게 와 계시고 감독자로 세우신 주의 종을 통하여 또 성령의 감화 감동으로 2000년 전이나 지금이나 동일하게 주님 심정을 전해 주신다. 또 그때와 동일하게 성령 받은 성도들도 성령이 감화하시고 듣게 하심에 따라 예수께서 십자가에 달리신 그 자리에 서게 될 것이다. 예수를 죽인 이가 바로 나임을 깨달을 때 예수 그리스도의 십자가 사건의 현장에서 예수를 만나는 것이다.

*십자가로 주신 영생에 감사하고*
*예수 몰라 멸망할 자에게 전도하길*
"거기 너 있었는가."
가야바의 뜰에, 빌라도 병영에, 골고다 언덕에서 예수 죽인 자가 '나'라는 사실을 모른다면, 부활하셔서 제자들과 수많은 사람에게 보이시고 40일이나 이 땅에 머무르시고 한꺼번에 500명이 보는 앞에서 들림 받으신 감람산 현장에 있어 보지 않았다면, 예수와 상관없는 사람이다. 우리는 고난주간성회에서 세상에게는 미련한 것으로 보이는 십자가의 도를 실제로 가져야 한다.

*"그가 찔림은 우리의 허물을 인함이요 그가 상함은 우리의 죄악을 인함이라 그가 징계를 받으므로 우리가 평화를 누리고 그가 채찍에 맞으므로 우리가 나음을 입었도다"*(사53:5).

예수께서 죄인을 구원하고자 겪은 고초와 사랑을 생각하고 내가 그리스도와 함께 십자가에 못 박히는 마음이 있어야 한다. 부활하신 주님으로 말미암아 내가 지금 산다는 감사가 넘쳐 나야 한다. 예수께서 고난받으신 이유를 바로 알지 못하거나 오해해 육체적인 고난만 생각하면서 금식하고 내 육체를 고통으로 몰아 가는 것이 아니라, 그 고난을 통해 내게 주신 평화와 치유, 죄 사함과 천국을 더욱 기뻐해야 하고 부활절에는 최상의 감사 축제를 펼쳐야 한다.

사망 권세를 이기고 이루신 부활, 고난의 십자가를 희망으로 바꾼 극적인 사건이 우리 마음을 뜨겁게 한다. 하나님의 아들이 우리 모든 죄를 해결하려고 고난당하신 것은 우리에게 영원한 행복을 주려는 것이니 그 고난에 동참하는 동시에 그 고난 속에서 우리에게 요구하는 하나님의 큰 뜻, 대속하신 십자가를 믿고 전 인류가 천국 가자는 복음 전도의 비전이 차고 넘쳐야 한다.

예수가 죽고 부활하신 것은 예수께서 우리의 주인이 되시려는 것이다. 마귀가 주인 되어 마귀에게 종노릇하며 살다 마귀와 함께 지옥 가지 않도록 하시려는 것이다. 진정 예수를 믿는다면 주인 뜻대로 모든 사람이 구원 얻는 일에 목숨을 걸지 않을 수 없다.

*"우리가 살아도 주를 위하여 살고 죽어도 주를 위하여 죽나니 그러므로 사나 죽으나 우리가 주의 것이로라. 이를 위하여 그리스도께서 죽었다가 다시 살으셨으니 곧 죽은 자와 산 자의 주가 되려 하심이니라"*(롬14:8~9).

고난주간은 예수 몰라 지옥 가는 수많은 이웃에게 복음을 전해야 할 사명을 더욱 강조한다. 우리 주님은 부활하셔서 승리하셨고, 우리를 위해 죽으심으로 우리를 향한 사랑을 확증하셨고 사망 권세 이기고 우리를 사망에서 건지셨다. 그러므로 이 사실을 우리만 알고 가만히 있을 수 없다. 예수의 십자가 피의 공로가 헛되지 않도록 우리 성도들이 복음 전도에 더욱 힘쓸 구령의 열정, 예수 그리스도의 양심을 소유하게 되기를 소망한다.

## 작가의 말

경천애인(敬天愛人)의 가훈을 중심으로 살아가는 우리 짧은 인생 여정에서 신앙적으로 나누고 싶은 이야기를 실었습니다.

창조주 하나님을 기억하고 맡겨주신 달란트 유익을 남길 수 있기를 소망하며, 시간이 날 때마다 글을 썼습니다.

갈고닦지 못한 나의 게으름으로 인해 거친 표현이 있다면 타산지석(他山之石)으로 삼기를 바랍니다.

모든 글은 우리 교회 교회신문 홈페이지에서 검색하여 볼 수 있습니다.

해마다 계속되는 평신도의 일상을 주요한 일들만 중심으로 조금 수정하여 실었습니다.

교회를 알고 기독교인을 이해하는 계기가 되길 소망합니다. 소개한 책은 정신을 살찌우는 양식이 됩니다. 소중한 자산을 함께 나누고 싶어 담습니다.

사랑스러운 가족과 친지, 나를 아는 모든 이에게 작은 평화와 기쁨을 주는 글이 되기를 기도하며 모든 감사와 영광을 하나님께만 올려 드립니다.